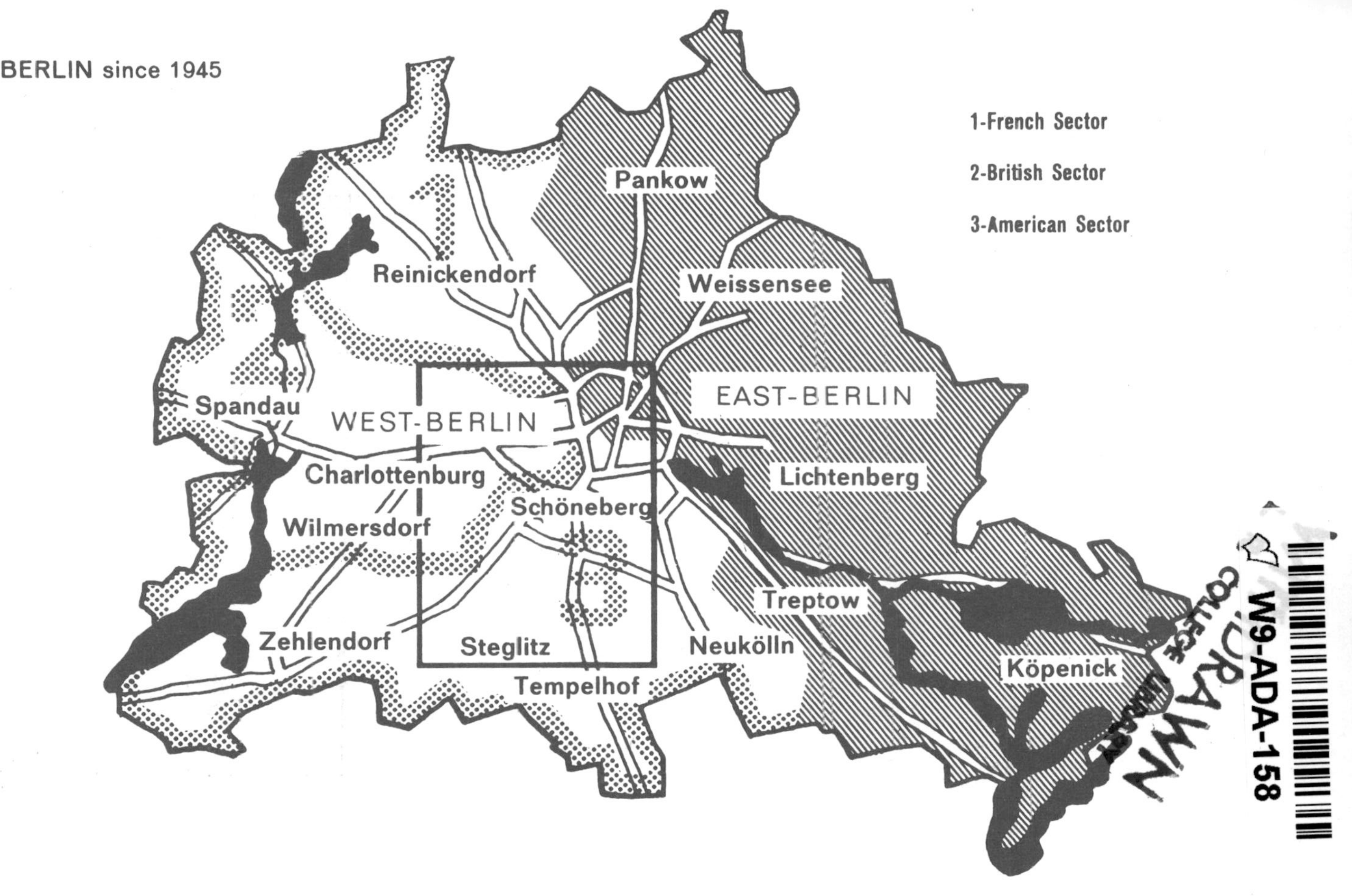
BERLIN since 1945
1-French Sector
2-British Sector
3-American Sector
Pankow
Reinickendorf
Weissensee
EAST-BERLIN
Spandau
WEST-BERLIN
Charlottenburg
Lichtenberg
Schöneberg
Wilmersdorf
Treptow
Zehlendorf
Steglitz
Neukölln
Köpenick
Tempelhof

Peter hat Pech!

Die Jagd nach der *„Fliegenden Untertasse"*

Edited by JAMES C. KING
The George Washington University

HOLT, RINEHART AND WINSTON, NEW YORK

Library of Congress Catalog Card Number: 60-6131

Illustrations by Horst Lemke

March, 1966

35279-0111

Printed in the United States of America

Preface

Arnold Littmann characterizes *Peter hat Pech!* as a short story written in the vein of Erich Kästner's *Emil und die Detektive* (1929). Kästner's work has long since become a classic of juvenile literature that students read abroad as well as in Germany, one that also appeals to adult readers. However, Littmann has no need to lean on Kästner, for *Peter* has its own merit. Peter Zimmermann, sixteen or seventeen years old, is a member of a gang, the "Neighbors," who make a point of helping needy war victims. For want of cash to help a friend repair the family Volkswagen, Peter sells some of his books, including one on flying saucers. How is he to know that his mother has put in this very book the stub of what turns out to be the winning ticket for the lottery grand prize? Since the book is resold before Peter can reclaim it, the gang spends a thrill-packed afternoon and evening tracing the book as it travels across divided Berlin. It goes without saying that the search is finally successful.

There is more to the work than a suspenseful plot. Littmann, a native of Berlin, gives the reader a vivid account of postwar life in that city with its artificial division into the Eastern and Western Sectors. The language is so natural and practical that students would do well to memorize much of the dialog material. Colloquial expressions, slang, and Berlin dialect are used with skill and restraint; in animating the conversation, the writer is careful not to offend or prove incomprehensible.

The editor has preserved the German original unchanged, having concluded that it is far better to enable students to follow the short story as written for German readers than to mislead them by presenting an adulterated version. A complete German-English vocabulary at the back of the book and footnotes placed beneath the text to which they pertain are designed to give the reader all the help he needs. The footnotes provide background information, explain vocabulary and structure, and encourage students to use the end vocabulary extensively and intelligently.

The American edition of *Peter hat Pech!* should meet the requirements of all instructors, regardless of whether the emphasis is on grammar and translation or audio-lingual work. In the editor's opinion, however, this short story affords a unique opportunity to put the spoken language across. The exercises, which follow the last chapter, include questions to be answered in German, true and false statements to be checked for comprehension, vocabulary to be matched, and conversation-composition topics to be developed. Institutions with language workshops will be interested in the tape recordings of *Peter,* which are available through Holt, Rinehart and Winston, Inc. Native speakers, including the author, have recorded all of *Peter* for aural comprehension. In addition, the tapes contain a spaced version of the text, with pauses for student repetition, as well as exercises (questions and true-false statements).

As this edition goes to press, there are definite plans to produce a film version of *Peter hat Pech!* in Germany. We may well be seeing the movie on an American screen in the near future.

Peter hat Pech! can be profitably read toward the end of the second or at the beginning of the third year of high school German and toward the end of the second or at the beginning of the third semester of college German. It is a sophisticated narrative with reader appeal on both levels. The vocabulary, structure, and content are such that no instructor need feel apologetic for using the book in the second year of college German.

Both author and editor are grateful to Horst Lemke for his illustrations. These clever, humorous interpretations add tremendously to the enjoyment of the text.

A word about the author. Arnold Littmann holds the degree of doctor of philosophy from the University of Berlin. He was a reporter and free-lance writer in his native city before fleeing to Sweden in 1944 after participating in the July 20 plot against Hitler. For some time now he has been *Universitätslektor für Deutsch* at the University of Stockholm. Littmann's *Peter* first appeared in a German magazine. The Swedish edition, which was published in 1957, has met with such success that *Peter hat Pech!* is now regularly used in the school systems of the various Scandinavian countries.

J. C. K.

Table of Contents

Peter hat Pech!

Locate the following:

Alexanderplatz
Bundesallee
Fichtenberg
Friedenau
Friedrichstraße
[1] *(Gartenstraße)*
[2] *(Grunewald)*
[2] *(Grunewaldsee)*
[3] *(Herrmann-Ehlers-Platz)*
Humanistisches Gymnasium Steglitz
Kurfürstendamm
Lichterfelde-West
Moabit
Muthesiusstraße
Nordbahnhof
Potsdamer Platz
Rubensstraße
S-Bahn
Schloßstraße
Schmargendorf
Schöneberg
Sektorengrenze
Steglitz
[3] *(Steglitzer Rathaus)*
Tempelhofer Flughafen
[2] *(Wannsee)*

[1] *Gartenstraße* is in *Lichterfelde-West* but does not appear on this map.
[2] This map stops short of *Grunewald, Grunewaldsee,* and *Wannsee,* but the general direction is indicated.
[3] *Herrmann-Ehlers-Platz* and *Steglitzer Rathaus* are in *Steglitz* but do not appear on this map.

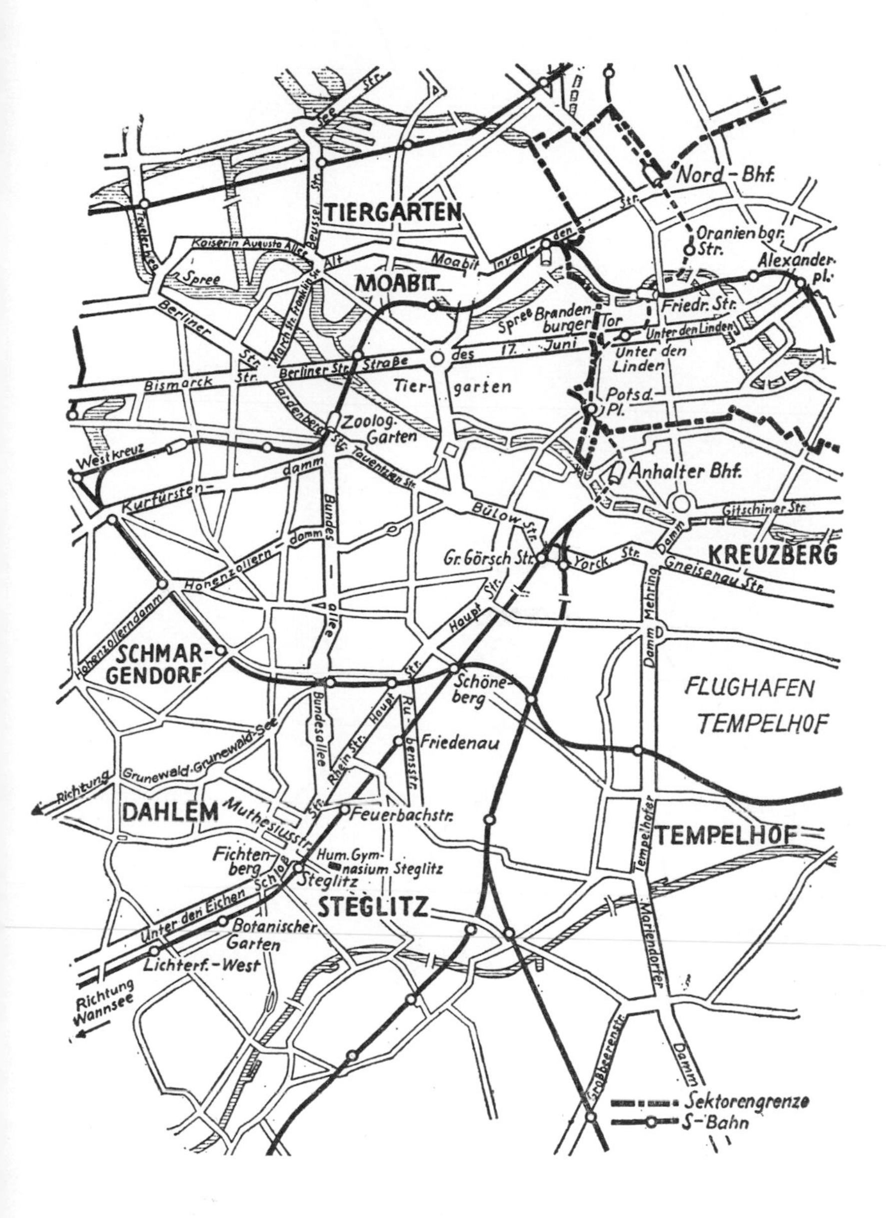
TIERGARTEN
MOABIT
Nord-Bhf.
Oranienbgr. Str.
Alexander-pl.
Friedr. Str.
Brandenburger Tor
Unter den Linden
Straße des 17. Juni
Tiergarten
Potsd. Pl.
Zoolog. Garten
Westkreuz
Kurfürstendamm
Anhalter Bhf.
Bülow Str.
Gitschiner Str.
Gr. Görsch Str.
Yorck Str.
Gneisenau Str.
KREUZBERG
Hohenzollerndamm
Bundesallee
Haupt Str.
SCHMARGENDORF
Schöneberg
FLUGHAFEN TEMPELHOF
Friedenau
Grunewald
Richtung Grunewald-See
DAHLEM
Muthesiusstr.
Feuerbachstr.
TEMPELHOF
Fichtenberg
Hum. Gymnasium Steglitz
Steglitz
STEGLITZ
Unter den Eichen
Botanischer Garten
Lichterf.-West
Richtung Wannsee
Mariendorfer Damm
Sektorengrenze
S-Bahn

1 *Ein Unglück kommt selten allein*

„Zimmermann! Sie haben soeben gesprochen! Sie wissen, daß das bei einer Klassenarbeit verboten ist!"

„Jawohl, Herr Studienrat."

„Dies ist meine letzte Verwarnung, setzen Sie sich mal[1]
5 hierher nach vorne auf die erste Bank!"

Peter Zimmermann war rot geworden. Der blonde etwas schlaksige Obersekundaner[2] mußte dem Befehl des

1. **mal.** Keep looking up this particle in the end vocabulary until you have developed a feeling for it.
2. **Obersekundaner.** If Peter is promoted at the end of the year, he will have two more years to spend in the **Gymnasium,** the secondary school which prepares students for the university. Peter is probably sixteen or seventeen years old. Find the **Gymnasium** on the map of Berlin labeled "Setting of *Peter hat Pech!*".

Lehrers Dr. Piepenbrink gehorchen und den schützenden Rücken Hans-Joachims und den Platz neben seinem Freunde Klaus verlassen und vorn auf der ersten Bank Platz nehmen, wo sonst Hans Schulz zu sitzen pflegte.[3] Der[4] war heute krank. — Natürlich! Schulz war meistens krank, wenn gerade eine Klassenarbeit geschrieben wurde.[5] Der hatte eine feine Nase für sowas! Verflixtes Pech! — dachte Peter — gerade heute muß „Piepe" so kleinlich sein!

Mit Piepe konnte man sonst Pferde stehlen.[6] Auf seine Stunden freuten sich die Jungen jedesmal. Dr. Piepenbrink, der[7] mit einem steifen Arm aus dem Kriege heimgekehrt und obendrein auch Ostflüchtling war, kam immer mit guter Laune in die Klasse. Bei ihm konnten sie all ihre kleinen Sorgen abladen, denn Piepe war gleichzeitig ihr Klassenlehrer.

Peter starrte vor sich hin und vergaß das Aufsatzthema „Mein Lieblingsbuch" und Dr. Piepenbrink und die eifrig schreibenden Mitschüler um sich herum. Er dachte an das, was er gestern abend mit seinem Freunde Horst zusammen erlebt hatte.

Peter und Horst waren zusammen mit einer ganzen Schar anderer Jungen und Mädchen aus dem Berliner Vorort Steglitz[8] „Nachbarn". Nachbarn nicht etwa[9] nur deshalb,[10] weil sie in der Nachbarschaft wohnten, sondern

3. **wo sonst Hans Schulz zu sitzen pflegte,** where Hans Schulz usually sat.
4. **der.** A form of the demonstrative **der** may replace a pronoun of the third person for emphasis. The English equivalent is some form of "he, she, it, they."
5. **wenn gerade eine Klassenarbeit geschrieben wurde,** whenever the class happened to be having a test.
6. **Mit Piepe konnte man sonst Pferde stehlen.** Usually Piepe would go along with anything.
7. **der.** A form of **der** preceded by a comma is usually a relative pronoun ("who, whose, whom, which, that") if the inflected form of the verb is at the end of the clause.
8. **Steglitz.** Refer to the map of Berlin.
9. **etwa.** Do not confuse **etwa** with **etwas.** Refer to the end vocabulary.
10. **deshalb.** Do not translate **deshalb,** which anticipates **weil.**

weil sie Mitglieder einer Jugendgruppe waren, die so hieß.[11] Die „Nachbarn“ hatten sich schon vor einigen Jahren zusammengefunden, als ein paar von ihnen eine gute Idee gehabt hatten. Sie wußten, daß es nach dem Zweiten Weltkriege eine Menge armer, alter, vereinsamter und kranker Menschen gab, die bei den Bombenangriffen all ihr Hab und Gut verloren hatten und sich nun ohne Angehörige und Verwandte durchs Leben schlugen.[12] Ja, manchmal hausten sie einsam und allein in baufälligen Notquartieren. Meist waren diese Alten zu stolz, um sich von andern Hilfe zu[13] erbitten oder gar zu erbetteln. Und da hatten die Nachbarn einen guten Einfall: sie hängten an den Ecken der großen Straßen Briefkästen auf mit der Aufschrift WUNSCHKASTEN DER NACHBARN, und dann gaben sie durch die Ortspresse bekannt: „Wer zu alt ist, um sich die Kohlen oder Kartoffeln selber aus dem Keller zu holen,

11. **die so hieß,** by that name. What is the literal translation?
12. **sich durchs Leben schlagen,** to make one's way through life.
13. **zu stolz, um . . . zu . . .** There is no English equivalent of **um** here.

wer krank ist und mal eine Hilfe braucht zum Aufräumen oder zum Einholen der Lebensmittel, wer sich sonst irgendeinen Dienst erbittet, den er nicht bezahlen kann, der braucht nur[14] einen Zettel mit seiner Adresse in den Wunschkasten zu werfen. Die Nachbarn werden versuchen, möglichst alle Wünsche alter und kranker Menschen zu erfüllen.“ NV—NF[15] stand darunter, und das stand auch auf ihrer Nadel im Knopfloch:

NICHT VERZAGEN — NACHBARN FRAGEN![16]

Es war ihr Losungswort, und NV—NF war ihr Gruß.

Bisher war auch alles immer gut gegangen, wenn man von ein paar spöttischen Witzen und von den Hosenknöpfen absieht, die sie manchmal in ihren Wunschkästen fanden. Und die Nachbarn hatten sich einen guten Namen gemacht, wenn sie auch[17] sonst eine richtige Rasselbande waren und eigentlich lieber Fußball spielten, als Kohlen aus dem Keller anderer Leute zu holen.

Aber gestern abend war einem von ihnen diese dumme Geschichte passiert, die Peter so ratlos machte, daß er jetzt an seinem Bleistift kaute, anstatt sich über die Vorzüge seines Lieblingsbuches zu verbreiten wie seine Klassenkameraden.

Peter überlegte. Wie konnte er dem[18] Horst nur helfen, aus dieser dummen Geschichte ohne Schaden herauszukommen? Helfen mußte er. Das war ja[19] klar, wo er doch[20] selber eigentlich die Hauptschuld hatte. Es war aber auch

14. **nur.** Develop a feeling for this particle.
15. **NV—NF.** What is the German pronunciation of "V"?
16. **Nicht verzagen—Nachbarn fragen!** Don't despair. Ask the "Neighbors."
17. **wenn . . . auch,** even though.
18. Note the colloquial use of **der** with a person's name.
19. **ja.** Keep looking up this particle in the end vocabulary until you have developed a feeling for it.
20. **wo . . . doch,** since.

alles so schnell gegangen. Die Mutter Bärbels,[21] eines der Nachbarmädchen, hatte gebeten,[22] der alten Frau Gruber einen Sack Kartoffeln nach Schmargendorf[23] zu bringen. Von Steglitz war das zwar nicht weit, etwa vier Kilometer,[24] aber Bärbels Fahrrad war kaputt, und da hatte sie Horst gefragt, ob er nicht mit dem Volkswagen seines Vaters die Kartoffeln nach Schmargendorf fahren könne.[25]

Peter war gerade bei Horst gewesen, als Bärbel anrief. Horst hatte zuerst die Bitte Bärbels glatt abgelehnt, weil seine Eltern verreist waren und er während ihrer Abwesenheit unter keinen Umständen das Auto benutzen durfte. Sein Vater hatte bei der Abreise ausdrücklich gewarnt: „Die Kiste, Horst, bleibt im Stall,[26] verstanden?" — „Aber ich habe doch[27] meinen Führerschein gemacht, und es[28] ist doch noch nie was[28] passiert", hatte Horst gemault. „Das ist zwar anerkennenswert, aber noch kein Grund, dir den Wagen zu überlassen. Die Kiste bleibt im Stall, und damit basta. Diesmal kenne ich keinen Spaß! Wenn du sie diesmal wieder wie neulich heimlich klaust, bleibst du in den Sommerferien zu Hause; dann können die Nachbarn ohne dich auf Fahrt nach Italien gehen!" Peter aber, der von diesem Verbot keine Ahnung hatte, verstand nicht, daß Horst[29] die Bitte Bärbels ablehnen wollte.

21. **Bärbel.** Compare English "Babs," also from "Barbara."
22. **hatte gebeten.** As you can see, the person asked need not be expressed with **bitten.**
23. **Schmargendorf.** Refer to the map of Berlin.
24. What is the distance involved if one **Kilometer** equals 3,280.8 feet (approximately 0.6 of a mile)?
25. **ob er nicht . . . fahren könne,** subjunctive of indirect discourse.
26. What is the English equivalent of the slang expression **Die Kiste bleibt im Stall?**
27. **doch.** Keep looking up this particle until you have developed a feeling for it.
28. The expletive **es** has no English equivalent here. **Was** is colloquial German for **etwas.**
29. **verstand nicht, daß Horst . . . ,** couldn't understand why Horst . . .

„Was denn,[30] Horst“, hatte Peter seinen Freund bedrängt, „du wirst doch nicht nein sagen! Die kurze Strecke bis Schmargendorf macht doch nichts aus. Los, sei kein Spielverderber, sag'[31] ja! Ich helfe dir nachher auch den Wagen waschen! Und Bärbel und Christa können ja auch mitkommen!“ 5

Horst hatte sich überreden lassen,[32] und dann waren sie alle vier mit dem Kartoffelsack zur alten Gruber mit sechzig Sachen[33] die Hauptstraße nach Schmargendorf entlanggebraust. Aber da[34] hatte ein Radfahrer, der aus einer 10 Nebenstraße kam, das HALT-Schild an der Ecke offenbar nicht gesehen. Er war gerade im Begriff, auf die Mitte der Kreuzung zu fahren, als Horst noch rechtzeitig die Gefahr erkannt und den Wagen auf die linke Straßenseite herumgerissen hatte, dicht an dem Radfahrer vorbei! Aber 15 da war das linke Vorderrad des Volkswagens an den Rinnstein angeprallt, der Wagen wurde schräg auf den Bürgersteig gerissen,[35] und der linke Kotflügel hatte versucht, der alten Kastanie dort die Rinde abzukratzen. Das war mißlungen, da[34] die Rinde härter war als das Schutzblech 20 des Wagens. Resultat: eine gräßliche Schramme und eine dicke Beule. Und den Schrecken[36] hatten sie auch um-

30. **denn.** Keep looking up the particle **denn** until you have developed a feeling for it.
31. **sag'.** The ending **e** is often omitted from the **du**-form of the imperative in conversational German.
32. **hatte sich überreden lassen.** Note the several uses of **lassen** as illustrated in the end vocabulary. **Überreden** is the equivalent of an English passive infinitive here.
33. **mit sechzig Sachen,** slang for **mit sechzig Kilometern.** How fast was Horst driving?
34. **da.** Distinguish between the adverb **da** ("there, then," etc.) at the beginning of a clause, with the inflected form of the verb following immediately, and the subordinating conjunction **da** ("since"), with the inflected form of the verb at the end of its clause.
35. **Der Wagen wurde schräg auf den Bürgersteig gerissen.** Keep the three uses of **werden** apart. **Werden** plus a past participle equals the passive voice. What is the sign of the imperfect passive in English?
36. What happens to **ck** in syllabication?

sonst. Immerhin hatten die beiden Mädchen sich tapfer gehalten und nicht gemuckst. Die Beule im Schutzblech jedoch war nicht „von schlechten Eltern",[37] wie Horst gemeint hatte.

Dieser Horst — dachte Peter — immer bleibt er Herr der Situation. — Nicht den Bruchteil einer Sekunde hatte er gezögert, das Richtige zu tun, und als das Unglück geschehen war, auch nicht einen Augenblick gejammert oder gar ihn, den Peter, der doch an allem schuld war, angeklagt. Nur ganz nebenbei hatte er, wie sie dann doch noch die Kartoffeln im Volkswagen bei der alten Gruber ablieferten, sachlich festgestellt: „Italien ist ja nun im

37. **war nicht „von schlechten Eltern"**, was first-rate.

Eimer."[38] Und die drei Nachbarn hatten sofort vestanden, daß Horst damit die Sommergroßfahrt der Nachbarjungen nach Italien gemeint hatte, die nun für ihn verloren war.

Peter wäre ein schlechter „Nachbar" gewesen,[39] wenn er nicht überlegt hätte, wie man Horst aus der Patsche 5 helfen könnte. Eins war klar: der Kotflügel mußte sofort repariert werden. Später, wenn die Italienfahrt vorbei war, konnte man ja dem alten Herrn die Wahrheit gestehen. Dr. med.[40] Springer, praktischer Arzt von Beruf, war ein gemütlicher Mann, der gerne fünfe gerade sein ließ[41] 10 und sicher nachher gute Miene zum bösen Spiel machen[42] würde.[43]

Aber woher das Geld für die teure Reparatur des Kotflügels nehmen?[44] Die Autoversicherung mußte natürlich aus dem Spiele bleiben, sonst hätte Dr. Springer vorzeitig 15 Wind von der Sache bekommen.[43] Da blieb nur eins: die Nachbarn mußten sich diesmal selber helfen und das Geld aus allen Ecken zusammenkratzen. Peter wollte gern[45] den Löwenanteil übernehmen, und gerade als er überlegte, auf welche Weise, sagte plötzlich Dr. Piepenbrink, indem 20 er lächelnd das weiße Blatt Peters von der Bank aufnahm und dicht unter seine Augen hielt: „Peter, Ihre Ansichten über Ihr Lieblingsbuch sind ja absolut ‚nichtssagend',

38. **Italien ist ja nun im Eimer.** Italy is definitely out of the question now.
39. **wäre . . . gewesen, überlegt hätte, könnte.** How should we express these subjunctive II forms of a contrary-to-fact conditional sentence in English?
40. **Dr. med. = Doktor der Medizin.**
41. **gerne fünfe gerade sein lassen,** to be willing to stretch a point.
42. **gute Miene zum bösen Spiel machen,** to make the best of a bad bargain.
43. **machen würde** (present conditional), **hätte . . . bekommen** (past perfect subjunctive). What are the English equivalents?
44. **Aber woher . . . nehmen?** In English we need a subject and an inflected verb form.
45. **wollte gern.** Familiarize yourself with the various uses of **wollen** and other modal auxiliaries as illustrated in the end vocabulary.

nach dem[46] zu urteilen, was Sie bisher geschrieben haben. Darf ich Sie darauf[47] aufmerksam machen, daß Sie jetzt nur noch eine Stunde und zehn Minuten Zeit haben und daß von dem Resultat Ihrer Arbeit Ihre Zensur im Deut-
5 schen abhängt? Da Sie bisher auf des Messers Schneide zwischen IV und V[48] gestanden haben, empfehle ich diesen Aufsatz Ihrer besonderen geschätzten Aufmerksamkeit."

Ach, diese Pauker! — dachte Peter. — Keine Ahnung
10 haben sie, wo einen[49] der Schuh drückt. — Aber dann dachte er an sein Zeugnis. Diese Arbeit durfte er einfach nicht verhauen. In Mathematik war ihm eine Fünf sicher, und bei zwei Fünfen in zwei Hauptfächern war die bevorstehende Versetzung gefährdet, und dann wäre auch
15 für ihn die Italienfahrt „im Eimer" gewesen.[50] Und so schrieb er dann fleißig drauf los — gleich ins Reine[51]— alles, was er über Erich Kästners *Emil und die Detektive*[52] zu sagen hatte. Es war ja sein Lieblingsbuch.

46. **Dem** anticipates **was.**
47. **Darauf** anticipates **daß.** What is the English equivalent here?
48. **zwischen IV und V.** The grading system of a German **Gymnasium** is as follows: **I, lobenswert (A,** excellent or very good); **II, gut (B,** good); **III, befriedigend (C,** satisfactory); **IV, ausreichend (D,** passing); **V, mangelhaft (E,** deficient, conditional); **VI, ungenügend (F,** unsatisfactory, failing).
49. **einen,** accusative of **man.**
50. **wäre . . . gewesen;** English equivalent of this past perfect subjunctive form?
51. **gleich ins Reine,** in final form (in contrast to a rough draft) straightway.
52. **Erich Kästner's *Emil und die Detektive.*** Kästner (1899—) has written a number of stories appealing to readers of all ages, especially young people. ***Emil*** is his best-known work.

2 *Wo ist das Lotterielos?*

Gleich nach Schulschluß um ein Uhr setzte Peter den Rundruf der Nachbarn in Gang. Was[1] unter den Negerstämmen des afrikanischen Urwalds die Trommel, das ist bei den Nachbarn der Rundruf, ein blitzschneller Nachrichtendienst. 5

Heute lautete der Rundruf: „Alle Nachbarn um drei Uhr zu Horst!" Die Telefone klingelten, Radfahrer fuhren die Nachricht aus, und Mopeds knatterten sie von Nachbar zu Nachbar.

Nach dem Mittagessen, dem Peter zur Verwunderung 10 seiner Mutter keine große Aufmerksamkeit schenkte, machte er Inventur in seiner Bibliothek. Alle Bücher, die er nicht unbedingt brauchte, wanderten in einen großen Karton. Die wollte er verkaufen, und die Verkaufssumme sollte sein Beitrag zur Autoreparatur sein. Traurig sah er 15 auf diesen Bücherhaufen. Es[2] waren so manche[3] Bände dabei, die er oft und gern gelesen hatte und gerne behalten hätte.[4] Der Verlust einiger Prachtstücke mit Goldschnitt, Einsegnungsgeschenke von Tante Emma und Onkel Fridolin, tat ihm nicht so weh wie die Trennung 20 von den zerlesenen Schmökern, in denen Winnetou und Old Shatterhand[5] sich gegenseitig um die Wette vorm

1. **Was . . .** Supply **ist** after **Trommel. Das** simply reinforces **was.**
2. **es,** the expletive "there."
3. **so manche,** "so many," although the plural form **manche** usually means "some."
4. What is the English equivalent of the past perfect subjunctive construction **gerne behalten hätte?**
5. **Winnetou** and **Old Shatterhand** are heroes of adventure tales by **Karl May** (1842–1912), who wrote about North America and the Near East.

Scheiterhaufen retteten.[6] Der gute Karl May mußte jetzt sozusagen selber den Scheiterhaufen besteigen. Und dann war da noch[7] *Die Fliegende Untertasse,* ein dickes Buch mit vielen technischen Zeichnungen und phantasievollen
5 Bildern. Auf *Die Fliegende Untertasse* setzte Peter große finanzielle Hoffnungen. Noch mehr als auf den *Untergang des Abendlandes,*[8] zwei dicke Bände, die ihm sein Patenonkel Hugo zum letzten Geburtsstag geschenkt hatte. — Was zahlt heute schon[9] jemand für den *Untergang des*
10 *Abendlandes* — dachte Peter im stillen, und so wanderte auch er zusammen mit der *Fliegenden Untertasse* zu Karl May auf den Scheiterhaufen.

Ein bißchen wehmütig packte Peter die Bücher zusammen, band sie auf dem Gepäckhalter seines Rades fest
15 und radelte in das Antiquariat von Globke in der Schloßstraße.[10]

Der alte Globke mit einer dicken Brille vor zwei listigen Augen war etwas kurzsichtig. Jedes Buch hielt er dicht unter seine Knollennase, als ob er erst mal daran
20 riechen wollte.[11] Die meisten Bände wanderten dann mit einem Knall auf den Ladentisch. — Je lauter der Knall, desto kleiner die Summe — stellte Peter zu seiner Betrübnis fest. Aber beim *Untergang des Abendlandes* knallte es fast gar nicht, und erst recht nicht bei der
25 *Fliegenden Untertasse.* Sie landete ganz sanft auf dem Büchertisch, und Peter kam die Bedeutung sowohl des

6. **sich gegenseitig um die Wette vorm Scheiterhaufen retten,** to compete in rescuing each other from the stake.
7. **noch.** Familiarize yourself with the adverb **noch** as illustrated in the end vocabulary.
8. ***Der Untergang des Abendlandes.*** This is a two-volume philosophy of history (1918–22) written by Oswald Spengler (1880–1936).
9. **schon.** Keep looking up this adverb until you have developed a feeling for it.
10. **in der Schloßstraße.** Refer to the map of Berlin.
11. **als ob er . . . wollte.** What is the English equivalent of this clause with the imperfect subjunctive after **als ob?**

„Untergangs“ als auch der „Untertasse“ erst so richtig zu Bewußtsein,[12] als Herr Globke für beides[13] DM 20[14] notiert hatte, beinahe so viel wie für die zwanzig Bände von Karl May. Am wenigsten aber hatten die Prachtstücke mit Goldschnitt eingebracht. 5

„Sowas kauft heutzutage kein Mensch mehr, höchstens mal eine ahnungslose Tante für einen Neffen als Ein-

12. **Peter** (dat.) **kam die Bedeutung sowohl des „Untergangs“ als auch der „Untertasse“ erst so richtig zu Bewußtsein.** Thus, for the first time Peter became really aware of the significance of the "Decline" as well as the "Saucer."
13. **beides,** neuter singular to refer to two antecedents of different genders (**der Untergang** and **die Untertasse**).
14. **DM 20.** Read **zwanzig D-Mark.** One West German Mark is equal to **ca.** $0.25.

segnungsgeschenk!" sagte Herr Globke und schmunzelte ein bißchen dabei.

Alle Achtung — dachte Peter bei sich — der alte Globke! Der ist offenbar nicht bloß Buchhändler, sondern auch Hellseher! — Noch höher aber stieg Peters Bewunderung für den Antiquar, als dieser ihm ganze sechzig DM[15] in bar auf den Tisch zählte. Herr Globke hatte der von ihm errechneten Summe[16] noch fünf Mark freiwillig hinzugelegt.

„Bitte unterschreiben Sie diese Quittung mit vollem Namen und voller Adresse: es ist wegen der Steuer." Peter unterschrieb. „Und beehren Sie mich bald wieder, Herr Zimmermann!" rief er hinter dem davonstürmenden Peter her.[17]

Peter hatte seiner Mutter versprochen, ihr noch ein Pfund Gehacktes vom Schlächter und sechs Heringe vom „Triefenden Bückling", dem Fischgeschäft am Herrmann-Ehlers-Platz[18] vor dem Steglitzer Rathaus, mitzubringen, und bevor er zu Horst fuhr, mußte er das Eingeholte zu Hause abliefern. Als er in die Küche kam, fand er seine Mutter inmitten eines Wirrwarrs von Kisten und Kasten, Zetteln und Briefen, Salz- und Mehlfässern,[19] Porzellantellern und Eßbestecken.

„Was ist denn hier los? Bist du unter die Räuber gefallen, Mutti?" fragte Peter lachend.

„Ach, ein Glück, daß du kommst, Junge. Ich bin ja

15. **Sechzig DM.** Read **sechzig D-Mark.**
16. [1]**der** [4]**von** [5]**ihm** [3]**errechneten** [2]**Summe.** Translate the elements in the order indicated. Now bring in a relative clause with an active verb.
17. [1]**hinter dem** [3]**davonstürmenden** [2]**Peter** [1]**her.** Replace **davonstürmenden** in English with an "as the latter" clause.
18. **am Herrmann-Ehlers-Platz vor dem Steglitzer Rathaus.** Refer to the map of Berlin. An adjective derived from a place name (such as **Steglitz**) ends in invariable **er.**
19. **Salz- und Mehlfässern.** The hyphen indicates that the last member of the next compound pertains to **Salz-** as well; i.e., **Salzfässern.**

ganz aufgeregt. Ich suche unser Lotterielos.[20] Weißt du nicht, wo es ist?"

„Nein, aber die Nummer weiß ich zufällig, es war eine Spiegelnummer: 5225."

Peters alte Dame fiel vor Schreck und Freude in den Küchenstuhl. Aber da krachte das alte Möbel endgültig zusammen. Es hatte noch beim letzten Bombenangriff 1945[21] einen Knacks für den Rest seines Lebens bekommen und eigentlich schon lange ausgedient. Jetzt lag die Witwe Zimmermann mit seinen Überresten auf der Erde, und wie die Mutter da mitten in den Trümmern des Stuhls zwischen den vielen Papieren und Kisten und Kasten saß, schrie sie: „D a s g r o ß e L o s![22] D a s g r o ß e L o s! Ich hab's[23] ja gewußt, wir haben das große Los gewonnen! Zweihunderttausend Mark,[24] Junge! Zweihunderttausend!"

„Nun mal Ruhe, Mutti", sagte Peter beherrscht, aus Angst, sich vielleicht zu früh ohne Grund zu freuen, „woher weißt du denn das?" Und er reichte der Mutter die Hand und zog sie aus den Resten des Küchenstuhls heraus.

„Im Radio haben sie's eben gesagt, sie haben die Gewinnummern durchgesagt. Mir kam sie auch gleich so bekannt vor. Aber wo ist das Los denn nur?"

„Na, das wird wohl in einem Bande meiner Bibliothek stecken,[25] die du ja immer für deine Rechnungen und Lotterielose benutzt!" meinte Peter lachend.

20. **Lotterielos.** State-sponsored lotteries, designed to raise public funds, are common in Europe.
21. **1945.** Read **neunzehnhundertfünfundvierzig. Im Jahre** has been omitted.
22. **D a s g r o ß e L o s !** The Germans use spaced type (**der Sperrdruck**) for emphasis.
23. **hab's.** Note the elision of the **e** of **es** here and elsewhere.
24. **Zweihunderttausend Mark.** What is the value in American currency?
25. **wird wohl . . . stecken.** The future tense with **wohl** is used here to express probability in present time.

„Stimmt, Junge“,[26] bestätigte Frau Zimmermann, „stimmt. Ich weiß auch ganz genau, in welches Buch ich's gesteckt habe. Es war eins über Porzellan. Ich wußte gar nicht, daß du dich für sowas interessierst.“

„Ein Buch über Porzellan habe ich doch gar nicht.“

„Doch, doch“,[27] behauptete Frau Zimmermann steif und fest, „ich weiß genau, es war etwas über Tassen, ja richtig, über Untertassen.“

„Doch nicht etwa *Die Fliegende Untertasse?*“

„Ja, natürlich, jetzt fällt mir's ein, *Die Fliegende Untertasse*. Ich wollte es nämlich unter keinen Umständen ver-

26. **Stimmt, Junge. Das** is understood as the subject.
27. **Doch, doch.** Use **doch** instead of **ja** in answer to a negative question.

gessen, und deshalb wählte ich das Buch mit dem komischen Titel. Sieh mal gleich nach, Peter!“

Aber jetzt war Peter vor Schreck ganz blaß geworden und mußte sich am Küchentisch festhalten. „Sag' mal, Mutti, hast du wirklich das Los in dieses Buch gesteckt und nicht ins Portemonnaie oder in deine Handtasche?“ 5

„Aber nein, wenn ich's doch sage, Junge. Ich erinnere mich ganz genau. Komm, wir sehen gleich mal nach!“

„Das geht nicht. Das Buch ist nicht mehr da.“

„Nicht mehr da? Wo ist es denn?“ 10

„Ach, Mutti, das ist ja zum Verzweifeln! Ich brauchte ganz eilig Geld, und da habe ich meine Bücher verkauft, natürlich auch *Die Fliegende Untertasse.* Aber ich habe sie eben erst vor einer knappen halben Stunde zu Globke getragen. Laß nur, Mutti“, beruhigte Peter die Mama, 15 „ich rase ganz schnell hin und hole unser Los zurück.“ Und schon war er draußen. Die aufgeregte Mutter hatte nicht einmal Zeit zu fragen, warum Peter plötzlich seine Bücher hatte zu Geld machen müssen.[28]

28. **hatte zu Geld machen müssen.** What is the English equivalent of this past perfect construction with a so-called double infinitive?

3 *Die Jagd nach dem Glück*

Peter sah nach der Uhr, während er sich aufs Rad schwang. Es war 14.30 Uhr.[1] Um 13.45 Uhr[2] hatte er das Buch an Globke verkauft. In einer Dreiviertelstunde konnten die Bücher noch nicht gut weiterverkauft sein. 5 Peter legte sich in die Pedale,[3] ganz wild vor Freude über das große Los, aber gleichzeitig voller Angst, es könnte[4] verloren sein. Die Kurve in die Schloßstraße hinein nahm er wie ein Rennfahrer. Jetzt hatte er Globkes Laden erreicht. Er warf seine Karre auf den Bürgersteig, stürzte 10 in den Laden auf den alten Globke zu und schrie: „Wo ist *Die Fliegende Untertasse* geblieben, Herr Globke?"

Ein älterer Herr, der in Peters altem *Untergang des Abendlandes* blätterte, wandte sich mit einem scharfen Blick über die Brille dem blonden Pennäler zu und mein- 15 te: „Wahrscheinlich im Küchenschrank, junger Mann!" und dann brach er über seinen eigenen Witz in ein schallendes Gelächter aus: „Ha, ha, ha, haha, haha!" Aus Höflichkeit lachte der alte Globke ein bißchen mit, aber als er in Peters vorwurfsvoll fragende Augen blickte, sagte er

1. **14.30 Uhr.** Read **vierzehn Uhr dreißig.** The system of telling time whereby 12.00 is noon and 24.00 is midnight is becoming more and more popular on the Continent. It is used exclusively in the transportation systems, the entertainment world, and the armed forces.
2. **13.45 Uhr.** Read **dreizehn Uhr fünfundvierzig.**
3. **Peter legte sich in die Pedale.** Peter really made the pedals turn.
4. **könnte.** What is the English equivalent of this imperfect subjunctive form?

freundlich: „Sie meinen wohl Ihr vorhin an mich verkauftes Buch?“ [5]

„Ja eben, *Die Fliegende Untertasse!*“

„Die habe ich vor einer Viertelstunde weiterverkauft.“

„An wen denn?“

„Aber Herr Zimmermann, was haben Sie denn? Solche Fragen stellt man doch nicht einem Geschäftsmann. Ich bin Ihnen doch keine Rechenschaft über meine Verkäufe und über meine Kundschaft schuldig!“ [6]

5. [1]**Ihr** [6]**vorhin** [4]**an** [5]**mich** [3]**verkauftes** [2]**Buch.** After disposing of the elements in the order indicated, try a relative clause with an active verb in English.
6. **einem eine Rechenschaft über** (with the accusative) **schuldig sein,** to owe somebody an accounting for something.

„Ich interessiere mich ja auch nicht für Ihre Kundschaft, sondern nur für *Die Fliegende Untertasse.* Meine Mutter hat nämlich[7] das große Los drin versteckt, das wir heute gewonnen haben."

5 „Das große Los in der *Fliegenden Untertasse!* Ha, das ist ja ein Filmtitel!" warf der lesende Philosoph ein. „Da wäre es schon besser gewesen,[8] sie hätte es in den *Untergang des Abendlandes* gelegt.[8] Es gibt Leute, die sehen nur noch im *Untergang des Abendlandes* das große Los.[9]
10 Ha, ha, ha, ha, ha, ha." Und wieder lachte er über seinen selbstfabrizierten Witz.

„Lassen Sie mich mit dem *Untergang des Abendlandes* zufrieden und Sie, Herr Globke, mit Ihren Geschäftsgeheimnissen!" rief Peter jetzt richtig zornig und voller
15 Verzweiflung. „Ich will ja nur wissen, ob Sie den Käufer des Buches kennen und ob Sie mir helfen können, mein Los zurückzubekommen." Peter war dem Weinen nahe.

Globke gab dem Philosophen heimlich einen Wink, ruhig zu sein. Er hatte Mitleid mit Peter und begriff
20 seine Angst, das große Los zu verlieren. „Selbstverständlich werde ich Ihnen helfen, Peter, wenn die Sache so[10] liegt, wie Sie sagen. Zum Glück kenne ich den Käufer. Er wohnt in Friedenau,[11] nicht weit von hier. Er kommt schon seit Jahren in mein Antiquariat;[12] er fährt merk-
25 würdigerweise immer mit der Stadtbahn statt mit dem

7. **nämlich.** Familiarize yourself with this adverb, which seldom means "namely."
8. **wäre ... gewesen, hätte ... gelegt,** past perfect subjunctive forms of a contrary-to-fact conditional sentence in past time. Treat the second clause as if it read **wenn sie es in den *Untergang des Abendlandes* gelegt hätte.**
9. **das große Los,** a play on words, for the sense here is "the ultimate fate of western civilization," not "the grand prize."
10. **So,** which simply anticipates **wie,** has no English equivalent.
11. **Friedenau.** Refer to the map of Berlin.
12. **Er kommt schon seit Jahren in mein Antiquariat.** English requires the present perfect progressive, to express the continuation in the present of something that began in the past.

Bus oder der Straßenbahn, wahrscheinlich hat er eine Monatskarte für die Bahn. Sicher ist er jetzt schon zu Hause, aber leider können wir nicht telefonieren. Er ist ein bißchen altmodisch und hat kein Telefon. Ich glaube auch, seine Alte will das nicht. Die soll sehr geizig sein . . .“ Und während er in dieser Weise plauderte, suchte er in der großen Kundenkartei die Adresse. „Hier habe ich sie schon, bitte notieren Sie!“

Glückstrahlend schrieb Peter die Adresse auf,[13] rief noch schnell ein „Dankeschön, Herr Globke“ über den Ladentisch, und schon saß er wieder auf dem Fahrrad, Richtung Friedenau. Er sah nach der Uhr: es war zwanzig Minuten vor drei. Plötzlich fiel ihm ein, daß er ja um drei Uhr alle Nachbarn zu Horst bestellt hatte und er unmöglich schon zu dieser Zeit selber dort sein konnte. Schnell sprang er an der Bundesallee[14] Ecke Schloßstraße vom Rad und rannte in großen Sprüngen zu einer Telefonzelle, um Horst anzurufen. Aber als er nach den dafür[15] nötigen zwei Groschen[16] in seinen Taschen[17] suchte, fand er nur eine Mark und ein Fünfzigpfennigstück.[18]

„Ein verflixtes Pech heute“, murmelte Peter laut vor sich hin. Er hatte diese Angewohnheit von seiner Mutter geerbt, die sich in der Küche auch immer alles selber erzählte. „Ein verflixtes Pech! Was ist das bloß für ein Tag heute?“

„Freitag der 13.“,[19] sagte da plötzlich eine schnippische

13. **schrieb . . . auf.** Look out for a dangling element at the end of a clause. The infinitive in this case is **aufschreiben.**
14. **an der Bundesallee.** Refer to the map of Berlin.
15. Beware of **dafür,** which does not mean “therefore.”
16. **¹den ⁵dafür ⁴nötigen ²zwei ³Groschen.** Treat the elements in the order indicated. One **Groschen** equals one tenth of a West German Mark.
17. **in seinen Taschen.** One could also say **in den Taschen.**
18. **ein Fünfzigpfennigstück.** What is the value in American currency if one **Pfennig** is one hundredth of a West German Mark?
19. **der 13.** Read **der dreizehnte.**

Stimme. Die gehörte einer jungen Dame, die gerade die Tür der Zelle geöffnet hatte, um zu telefonieren. „Haben Sie auch soviel Pech wie ich an einem solchen Tage?"

Peter mußte unwillkürlich lachen. „Nein", sagte er geistesgegenwärtig, „jetzt nicht mehr, denn sicher bekomme[20] ich nun von Ihnen ganz schnell Ihre zwei Telefongroschen, damit ich telefonieren kann. Und Sie können dafür meinen Fünfziger kriegen und den Rest von dreißig Pfennig behalten, damit Sie ausnahmsweise auch ein bißchen Glück am 13.[21] haben, ja sogar das große Glück in der Mittagsstunde,[22] mein Fräulein, schlagen Sie das ja nicht aus!"

Jetzt lachte auch die junge Dame über den redseligen Peter: „Weil Sie das so nett gesagt haben, kriegen Sie hier meine zwei Groschen. Den Fünfziger werde ich inzwischen wechseln, doch die dreißig Pfennig behalte ich nicht, die kriegen Sie zurück."

„Wie Sie wollen! Immerhin verbindlichsten Dank für Ihre Freundlichkeit!" sagte Peter sich verbeugend. „Entschuldigen Sie bitte meine Frechheit! Ich habe nämlich das große Los gewonnen, nein, das heißt verloren, nein

20. **bekomme.** Note the frequent use of the present tense in German where English requires the future.
21. **am 13.** Read **am dreizehnten.**
22. **das große Glück in der Mittagsstunde.** This is a stock expression of astrology.

nein, ich habe es gewonnen und verloren, und zwar mit der *Fliegenden Untertasse* verloren, vorher aber hatte ich es gewonnen!"

Aha, ein Verrückter — dachte die junge Dame — das konnte man sich ja auch gleich sagen:[23] ist[24] ein junger Mann heutzutage mal ein bißchen nett und liebenswürdig, dann ist er eben verrückt.

„Sie müssen mir's glauben, mein Fräulein", versicherte Peter eifrig,[25] als er den etwas zweifelnden Gesichtsausdruck der jungen Dame bemerkte, „es liegt ganz sicher in der *Fliegenden Untertasse!*"

Jetzt wurde es ihr aber zu bunt. „Sie haben wohl selber nicht alle Tassen im Schrank,[26] junger Mann, mit Ihrem Los auf der Untertasse", und damit schlug sie ihm die Tür der Telefonzelle vor der Nase[27] zu, daß es bumste. Kopfschüttelnd ging sie davon.

„Horst, hör' mal schnell", sagte Peter, gleich nachdem sich Horst gemeldet hatte, „ich komme eine halbe Stunde später, so gegen halb vier.[28] Mir ist eine äußerst wichtige Sache dazwischengekommen. Ich erzähl's dir nachher. Halte die Gruppe bei dir fest! Wir bringen die Sache von gestern in Ordnung, dein Auto wird repariert,[29] du kannst dich drauf verlassen, und dann gibt's noch eine ganz große Überraschung. NV—NF!"

„NV—NF!" war alles, was Horst noch sagen konnte, denn Peter hatte den Hörer schon eingehängt und war, ohne die junge Dame und seine dreißig Pfennig wiederzusehen, auf und davon.

23. **Das konnte man sich ja auch gleich sagen.** I might have known.
24. **ist. Wenn** is implied at the beginning of this clause.
25. **versicherte Peter eifrig.** The object **ihr** is implied.
26. **Sie haben wohl selber nicht alle Tassen im Schrank.** Note the play on words (**Untertasse—Tassen**).
27. **ihm . . . vor der Nase. Ihm** plus **der** equals a possessive adjective.
28. **so gegen halb vier,** at about three thirty; **halb vier,** half way around the clock to the next hour, four o'clock.
29. **wird repariert.** This present tense passive form has future force.

4 *Ein vergeßlicher Raketenforscher*

Als Peter keuchend im vierten Stock[1] eines großen Mietshauses der Rubensstraße[2] in Friedenau angelangt war und das Schild mit dem Namen Gutsmann suchte, tat sich gerade eine Tür auf, und eine beleibte ältere Dame
5 wollte mit ihrer Markttasche die Wohnung verlassen. Mit strengem Blick musterte sie den blonden Jungen vor ihrer Wohnungstür.

„Entschuldigen Sie bitte,[3] sind Sie Frau Gutsmann?" fragte Peter etwas eingeschüchtert von der Strenge der
10 dicken Dame.

„Ja allerdings, das bin ich. Was wünschen Sie, junger Mann?"

„Ist vielleicht Ihr Mann mit der *Fliegenden Untertasse* nach Hause gekommen?"

15 „Womit, junger Mann, ich hörte wohl nicht recht, mit was für einer Untertasse?"

„Einer fliegenden . . . das heißt, ich meine, das ist nämlich ein Buch, müssen Sie wissen,[4] ein Buch mit dem Titel

1. **im vierten Stock.** What floor is this if it is the fourth above the ground floor?
2. **Rubensstraße.** Refer to the map of Berlin.
3. **Entschuldigen Sie bitte!** It is common to imply the direct object of **entschuldigen, mich** in this case.
4. **müssen Sie wissen** = you know; you understand, don't you?

Die Fliegende Untertasse, so ein Buch über Weltraumflüge und Astrophysik."

„Weltraumflüge! Ja, das sieht meinem Männe[5] ähnlich! Wilhelm", rief sie mit gewaltiger Kommandostimme in die Wohnung hinein, „komm mal sofort her, Wilhelm! 5
Hier ist jemand wegen einer fliegenden Untertasse!"

Im langen schmalen Korridor erschien jetzt ein winziges Männchen. Es schlurfte in Pantoffeln langsam auf die Wohnungstür zu.

5. **Männe,** dialect for **Mann(e).**

„Wilhelm, ich frage dich: hast du schon wieder eine fliegende Untertasse gekauft?" Es klang wie beim Jüngsten Gericht,[6] eine Frage an das Gewissen!

Wilhelm Gutsmann sah mit traurigen Augen über einer rötlichen Nase und einem gutmütigen Seehundsbart erst seine Frau und dann den jungen Mann an: „Aber es war nicht teuer, nur antiquarisch, bei Globke."

„Wilhelm, das ist das letzte Mal, daß ich mir das mit ansehe."[7] Und zu Peter gewandt: „Sein ganzes Geld fliegt mit diesen Untertassen zum Mars und zum Mann im Mond, müssen Sie wissen,[4] und wir hungrigen Erdbewohner[8] müssen uns von Pellkartoffeln und Heringen nähren!"

Peter sah voller Schuldbewußtsein auf die hungrige Erdbewohnerin. Doch da unterbrach ihr „Männe" Peters Betrachtung: „Bitte, wollen Sie nicht näher treten, Herr . . .?"

„Zimmermann", stellte Peter sich vor.

„Bitte kommen Sie doch herein, Herr Zimmermann, wir können ja nicht gut[9] hier auf dem Treppenflur verhandeln."

„Marsch,[10] gehen Sie rein,[11] junger Mann!" befahl nun auch Frau Gutsmann. „Zu den fliegenden Untertassen", setzte sie hinzu.

Peter schritt langsam hinter Herrn Gutsmann her in die Wohnung. „Nein, nicht ins Eßzimmer!" rief seine

6. **beim Jüngsten Gericht,** on Judgment Day.
7. **Das ist das letzte Mal, daß ich mir das mit ansehe.** That's the last time I'll stand for that.
8. **wir hungrigen Erdbewohner.** Many Germans would use the strong form of the adjective, **hungrige.**
9. **nicht gut,** not very well, hardly.
10. **marsch** (interjection) , get going!
11. **rein.** This is the short form of **herein,** where we would expect **hinein.**

Frau. „Geht man[12] ruhig ins Arbeitszimmer zu den fliegenden Tassen!"

Ja, was war das für ein Arbeitszimmer! Peter staunte: das war ja eine Werkstatt! Die Wände waren von unten bis oben mit Raketenbildern behängt, Feststoffraketen 5 und Luftabwehrraketen, Flugplätzen für Fernraketen, Meßinstrumenten und technischen Zeichnungen. An der Decke hing quer über das Zimmer eine riesige Satellitenrakete, ein Modell aus Holz und Blech, offenbar eine Schöpfung aus der Hand Wilhelm Gutsmanns. Aber eine 10 schrille Stimme riß Peter aus seinem Staunen:

„So, nun erzählen Sie mal, was eigentlich los ist!" Und die reine Neugierde stand auf dem Gesicht der hungernden Erdbewohnerin.

Peter berichtete kurz, was er wollte, und warum er ge- 15 kommen war. Aber während er sprach, merkte er schon, daß im Gesicht des alten Gutsmann[13] eine Veränderung vor sich ging, und wie Peter nun darum bat, ihm das Buch zu zeigen, damit er das große Los dort suchen könne,[14] da brach der Menschheit ganzer Jammer[15] über den kleinen 20 Raketenforscher mit dem Seehundsbart herein:

„Um's[16] Himmels willen", jammerte er, „ich habe ja das Buch in der Bahn liegen lassen!"[17]

„Das sieht dir ähnlich, Wilhelm!" rief seine Frau. „Jetzt langt's mir aber! Erst kaufst du überflüssige Bücher, und 25 dann läßt du sie in der Stadtbahn liegen. Da kannst du ja

12. **man** (adverb), "just," not to be confused with the impersonal pronoun **man.**
13. **des alten Gutsmann.** The definite article is necessary with this modified proper name. Note that **Gutsmann** has no ending.
14. **könne,** present subjunctive in a purpose clause in indirect discourse.
15. **der Menschheit ganzer Jammer.** In Part I of Johann Wolfgang von Goethe's outstanding drama *Faust,* the hero says at line 4406, **„Der Menschheit ganzer Jammer faßt mich an."**
16. **um's.** What has been elided?
17. **habe ... liegen lassen.** Beware of the so-called double infinitive in this present perfect construction.

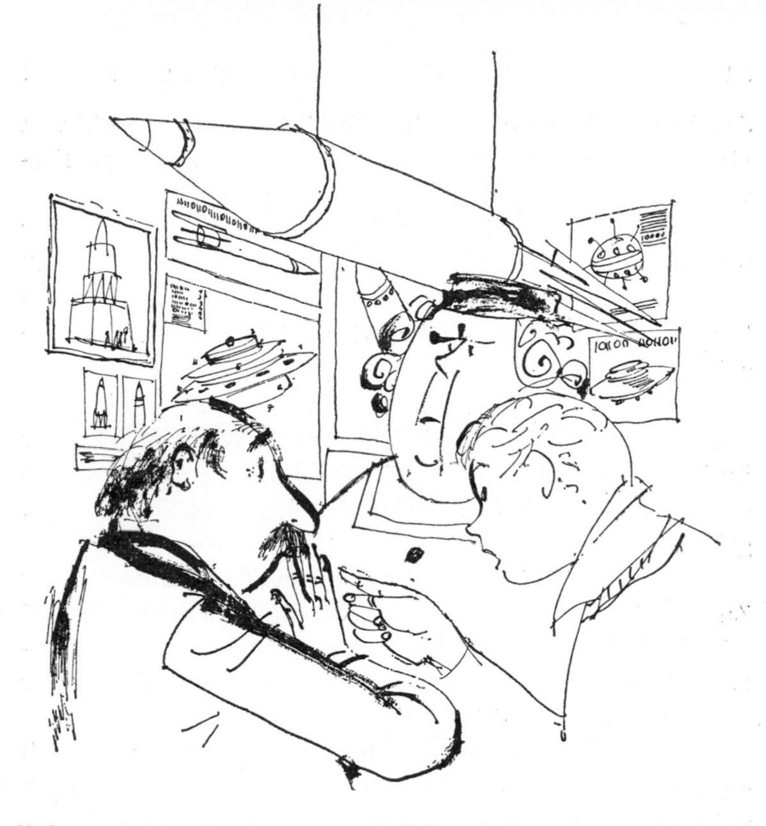

lieber gleich direkt unser Geld auf den Mars schießen! Sowas lebt,[18] und Schiller[19] mußte sterben! Jetzt machen Sie aber schnell, Herr Zimmermann, daß Sie ins Fundbüro kommen!"[20] mahnte sie gleich weiter. „Vielleicht hat jemand *Die Fliegende Untertasse* mit dem großen Los dort abgegeben."

Peter war wieder am Rande der Verzweiflung. Eine richtige Pechsträhne heute! Aber jetzt gab er das Rennen erst recht nicht auf.[21] Er mußte schnell handeln, wenn er

18. **Da kannst du . . . schießen! Sowas lebt, und . . .** Why, in that case you might as well shoot our money straight to Mars. You should live so long when . . .
19. The German dramatist Johann Friedrich von Schiller (1759–1805) died at the peak of his activity.
20. **daß Sie ins Fundbüro kommen!** = and get to the lost-and-found office.
21. **Aber jetzt gab er das Rennen erst recht nicht auf.** But he surely was not about to give up the search now.

das Los noch retten wollte. Zunächst ließ er sich von Herrn Gutsmann eine genaue Beschreibung des Einwickelpapiers und der Verschnürung geben.[22]

Herr Gutsmann erinnerte sich: „Hellgrünes Packpapier mit zwei roten Gummibändern kreuz und quer gesichert.“ 5

„Und noch eine Frage: mit welchem Zuge und in was für einem Abteil, Raucher oder Nichtraucher, sind Sie gefahren?“

„Natürlich Raucher, nicht wahr, Männe?“

„Natürlich, liebe Amalie“,[23] gestand Wilhelm. „Es war 10 im letzten Wagen, weil in Friedenau der Ausgang am Zugende liegt und ich in Steglitz Zeit hatte, nach hinten zu gehen.“

„Können Sie sich noch ungefähr an die Abfahrtszeit des Zuges erinnern, Herr Gutsmann? Bitte denken Sie mal 15 scharf nach!“ Peter sprach mit der Stimme eines Kriminalkommissars, so wie er es im letzten Film *Kommissar Müller greift ein* gehört hatte.

„Ja, das[24] kann ich sogar ganz genau. Mir war nämlich gerade ein Zug vor der Nase weggefahren, und da sah ich 20 auf dem Fahrplan nach, ob jetzt Fünf-, Zehn- oder Zwanzigminutenverkehr war.[25] Es war Zehnminutenverkehr, und mein nächster Zug ging 14.10 Uhr.[26] Es war einer nach Nordbahnhof.“[27]

„Danke, das genügt, ich hab's notiert“, sagte Peter und 25 wollte schon das „Verhör“ beenden. „Nein“, fiel ihm ein, „das genügt noch nicht. An welcher Stelle im Wagen

22. **sich** (dat.) **geben lassen,** to receive.
23. **Amalie,** [ɑmɑ'ːlĭə].
24. **Das** completes the modal **kann** in the absence of the implied infinitive (**machen** or **tun**).
25. **da sah ich . . . nach, ob jetzt . . . war.** English requires a connective such as "to determine" before "whether." The expletive **es** is implied after **ob.**
26. **14.10 Uhr.** Read **vierzehn Uhr zehn.**
27. **Nordbahnhof.** Refer to the map of Berlin.

haben Sie das Buch wohl liegen lassen, wissen Sie das noch?"

„Ja, wenn ich mich recht erinnere, so war das so.[28] Ich wollte mir die Pfeife[29] stopfen, und da ich stehen mußte
5 — der Zug war besetzt und kein Sitzplatz mehr frei — legte ich das Buch so lange oben ins Gepäcknetz, wissen Sie, ganz vorn im Wagen, da wo[30] immer das kleine Sonderabteil ist, in der Nähe des Ausgangs, und beim Aussteigen . . ."

10 „. . . waren natürlich deine Gedanken wieder einmal auf dem Mars. Ach, Männe, warum mußt du pensionierter Steuersekretär dich um die Marsbewohner kümmern? Die zahlen hier doch keine Steuern, darauf kannst du dich verlassen!"

15 „Auf Wiedersehen!" rief Peter in die bevorstehende Gardinenpredigt hinein. „Ich bringe Ihnen *Die Fliegende Untertasse,* sobald ich sie habe, Herr Gutsmann. Auf jeden Fall lasse ich von mir hören. Ich danke Ihnen auch für die Auskunft! Und auf Wiedersehen, gnädige Frau!"

20 „Auf Wiedersehen, Herr Zimmermann!" sagte Frau Amalie eine Tonart freundlicher und zu ihrem Mann gewandt: „Manieren hat er ja, der junge Herr Zimmermann, das muß man ja sagen, daran könntest[31] du dir eigentlich ein Beispiel nehmen, Männe!" Aber Männe
25 antwortete nicht mehr. Er bastelte bereits an einem neuen Raketenmodell.

28. **So war das so.** It was like this.
29. **mir die Pfeife.** Use a possessive adjective in English.
30. **Da** simply anticipates **wo.**
31. **könntest.** What is the English equivalent of this imperfect subjunctive form?

5 *Ein Schlachtplan wird entworfen*

Auf der Rückfahrt nach Steglitz zu Horst entwarf Peter einen Schlachtplan für seine Suchaktion. Das einzige Glück im Unglück war jetzt, daß die Nachbarn sich schon bei Horst versammelt haben mußten und er sie sofort auf die Jagd nach der *Fliegenden Untertasse* schicken konnte. 5

Eins war ihm sofort klar: man mußte auf zwei Linien arbeiten. Das Fundbüro der Stadtbahn und auch das städtische Fundbüro der Polizei mußten sofort befragt

werden,[1] aber unabhängig davon galt es, den Zug ausfindig zu machen, in dem vielleicht das Buch zwischen Wannsee[2] und Nordbahnhof noch spazierenfuhr. Ein gräßlicher Gedanke! Wannsee lag in West-Berlin,[3] aber
5 Nordbahnhof in Ost-Berlin,[3] und dazwischen die Sektorengrenze. Wenn das Buch im Ostsektor gefunden worden war,[4] mußte man nach Ost-Berlin ins Fundbüro fahren; aber vielleicht mußte man das in jedem Fall, weil es

1. **befragt werden.** What is the English equivalent of this passive infinitive?
2. **Wannsee.** Refer to the map of Berlin.
3. **West-Berlin, Ost-Berlin.** Trace the line between the two sectors on the map.
4. **gefunden worden war,** past perfect passive.

überhaupt kein westliches Fundbüro der Stadtbahn gab. Peter beschloß, sich hierüber Klarheit zu verschaffen, bevor er zu Horst fuhr.

Wie in einem Bienenstock, so summte und brummte es inzwischen bei den Nachbarn, die sich fast vollzählig bei Horst versammelt hatten. Horst wohnte in einer Villa auf dem Fichtenberg,[5] da wo früher zu Anfang des Jahrhunderts die Professoren der Berliner Universität, Künstler und Schriftsteller in dem idyllischen kleinen Dorfe Steglitz[6] ihre Häuser gebaut hatten. Damals lebte man dort noch wie auf dem Lande, und das Berliner Zentrum war weit weg. Innerhalb von zwanzig Jahren war dann aber das kleine Dorf zu einer Großstadt herangewachsen, und jetzt nach dem Zweiten Weltkriege war das einst so ländliche Steglitz[7] selber zum Zentrum des neuen Berlins geworden, da die Innenstadt, teils von den Bomben und teils von der großen Politik zerrissen, brachlag. Die Steglitzer Hauptverkehrsader, die Schloßstraße, bildet jetzt Berlins zweites Schaufenster neben dem Kurfürstendamm.[8] Doch die Villen auf dem Fichtenberg unter den grünen Kiefern haben auch heute noch ihre vornehme Abseitigkeit vom geschäftlichen Leben der Hauptstraße bewahrt.

Dr. Springer, Horsts Vater, hatte in einer dieser Villen seine ärztliche Praxis. Im ersten Stock[9] lagen die Wohnräume, und im Parterre lag neben dem Sprechzimmer und den zwei Behandlungsräumen das große Gesellschaftszimmer mit einer Terrasse, die zu einem parkartigen Garten hinausführte. Die Reihe der hohen Kiefern war etwas von

5. **auf dem Fichtenberg.** Refer to the map of Berlin.
6. **Dorfe Steglitz.** English needs a preposition between two such nouns.
7. **das [2]einst [3]so [4]ländliche [1]Steglitz.** Treat the elements in the order indicated.
8. **neben dem Kurfürstendamm.** Refer to the map of Berlin.
9. **im ersten Stock.** Which floor is this in English?

den Fliegerbomben gelichtet,[10] aber noch immer[11] waren sie zahlreich genug, um anzudeuten,[12] daß hier eigentlich Berlins großer Naturpark begann, der Grunewald.[13]

Auf dieser Terrasse hatten sich an diesem schönen 5 Frühlingstage die meisten Nachbarn pünktlich um drei versammelt, sogar die Lehrlinge, weil heute ihr freier Nachmittag war. Horst hatte ihnen von dem geheimnisvollen Telefonanruf Peters kurz berichtet und von der Überraschung, die er angekündigt hatte. Die wildesten 10 Vermutungen und Gerüchte schwirrten von Mund zu Mund, und natürlich bildete der gestrige Autounfall Horsts den Hauptpunkt des Interesses. Denn noch ahnte keiner der Nachbarn, was Peter inzwischen alles erlebt hatte.

15 Unter ihnen gab es Jungen und Mädchen fast aller Altersklassen. Sah[14] man sie dort im Schein der Nachmittagssonne auf der Terrasse sitzen,[15] dann fielen einem[16] sofort drei Jungen ins Auge, die alle drei[17] die andern um Haupteslänge überragten: Jürgen, Jochen und Jonny, 20 wegen ihres Anfangsbuchstabens J[18] und wegen zahlreicher anderer Gemeinsamkeiten unter den Nachbarn auch die drei „Jötter"[19] genannt. Jürgen, Goldschmied von Beruf, bildete mit seinen pechschwarzen Augen und dem schwarzen Kräuselhaar zu dem neben ihm sitzenden

10. **gelichtet (worden).**
11. **noch immer. Immer,** which emphasizes **noch,** cannot be translated.
12. **genug, um anzudeuten.** Note the use of **um . . . zu** with **genug.** Does "in order to" sound natural in English here?
13. **der Grunewald.** Refer to the map of Berlin.
14. **sah. Wenn** is implied at the beginning of the clause.
15. **sitzen.** Use a present participle in English.
16. **einem,** dative of **man.**
17. **die alle drei,** all three of whom.
18. **J,** [ĭɔt].
19. **Jötter,** here has a double meaning: **J's** and **Jötter,** for **Götter.** In Berlin dialect [g] often becomes [ĭ].

Primaner Jochen[20] mit ähnlichem Haarschopf, aber in leuchtendstem Rot, einen auffallenden Kontrast, der noch deutlicher unterstrichen wurde,[21] als der kaufmännische Lehrling Jonny mit seiner goldblonden Haarmähne sich neben die beiden andern Jötter stellte. „Ihr seid ja die reinste Bundesfahne:[22] schwarz-rot-gold", hatte Dr. Springer einmal lachend festgestellt, als er die drei Unzertrennlichen nebeneinander[23] auf seiner Terrasse sitzend getroffen hatte. Seitdem hießen sie auch einfach die „Bundesfahne". Schwarz und Gold der „Bundesfahne", Jürgen und Jonny, hatten heute ihren Berufsschulnachmittag, waren aber schon frei. So konnten sie ebenso wie das Rot, der Pennäler Jochen, dem Ruf der Nachbarn folgen. Wieder ein Glück im Unglück für Peter, denn die drei Jötter galten als unüberwindlich und hatten in ihrer Dreieinigkeit bisher noch jede Schlacht gewonnen, in die sie verwickelt wurden.

Jetzt steckten die drei ihre vielfarbigen Köpfe zusammen, und auf einmal hörte man, zunächst leise dann immer stärker anschwellend, ein vielfältig gemurmeltes „Rhabarber-Rhabarber-Rhabarber . . ." so lange, bis[24] alle

20. [1]**dem** [5]**neben** [6]**ihm** [4]**sitzenden** [2]**Primaner** [3]**Jochen.** Treat the elements in the order indicated.
21. **unterstrichen wurde.** What is the imperfect passive form in English?
22. **Bundesfahne.** The colors of the West German flag—black, red, and gold—are those that were used during the Weimar Republic (1919–33).
23. **nebeneinander. Einander** regularly becomes one word with a preceding preposition.
24. **so lange, bis. So lange** anticipates **bis.**

Nachbarn in das Rhabarber-Gemurmel einfielen und dann dem langen Jochen gehorchten, der das Auf- und Abschwellen des Volksgemurmels dirigierte, bis er es in einem ganz leisen Pianissimo verklingen ließ. Dann gebot 5 er mit einer großen Geste Schweigen und setzte zu einer Volksrede an:

„Nachbarinnen und Nachbarn und auch Ihr andern hier alle,[25]
Verkehrsteilnehmer, Radler und Autler und auch Ihr, 10 Mopedisten!
Sagt, was es ist, Ihr Pennäler von Steglitz und seiner Umgebung,
Was Ihr heute am Freitag, dem dreizehnten, von uns begehrt!
15 Denn keineswegs sind wir gewillt, hier sehr lange zu warten,
Weil der Fußball,[26] der ach so geliebte, zu seinem Dienste
Uns und die andern sportlich Interessierten[27] schon ruft.
Auch spüren wir Lust zu erfrischendem Bade im 20 Grunewaldwasser,[28]
Wohin das Moped mit seinem lebhaft sich steigernden Tempo
Uns heute noch liebevoll knatternd und schnellfüßig trägt.
25 So sagt uns denn an, Ihr Edlen von Steglitz und seiner Umgebung:
Was soll das Gesitze auf Horstens Terrasse, wenn doch nichts passiert?“ [29]

25. **Na'chbari'nnen und Na'chbarn und au'ch Ihr a'ndern hier a'lle.** This is really elevated poetry, unrhymed hexameter! Note the six stresses. The capitalization of familiar plural **ihr** is in keeping with the poetic style.
26. **der Fußball, der ach so geliebte,** soccer, of which we are ever so fond.
27. **die andern sportlich Interessierten,** the other sports enthusiasts.
28. **im Grunewaldwasser = im Grunewaldsee.** Refer to the map of Berlin.
29. **Was soll das Gesitze auf Horstens Terrasse, wenn . . . ?** What is the point of our sitting on Horst's patio if . . . ? Note the old genitive form **Horstens,** for **Horsts.**

Die „Bundesfahne" war aufgestanden, und alle drei Jötter wiederholten die letzte Zeile im Chor:

„Was soll das Gesitze auf Horstens Terrasse, wenn doch nichts passiert?"

„Es[30] wird gleich allerhand passieren!" 5

Das war Peters Stimme, die Jochens poetische Deklamation sehr prosaisch unterbrach.

„NV—NF!" rief er, und alle Nachbarn erwiderten wie ein antiker Chor, noch im Banne der Jochenschen[31] Hexameter, mit einem lauten 10

„NV—NF!"

„Ja", sagte Peter, „es wird gleich allerhand passieren, denn es ist heute schon allerhand passiert!" In knappen Sätzen schilderte Peter sein Pech an diesem Tage, und es war mucksmäuschenstill bei den Nachbarn, als er geendet 15 hatte.

„Ihr werdet einsehen", fuhr Peter fort, „daß die Geldsammlung für die Reparatur von Horsts Auto unnötig ist, wenn wir das Lotterielos auftreiben. Andererseits müssen wir natürlich damit rechnen, daß[32] das Los verloren ist 20 und verloren bleibt. Dann können wir uns alle wieder hier versammeln und aufs neue überlegen. Aber jetzt müssen wir zunächst einmal ..."

„... aufs Fundbüro fahren!" rief einer dazwischen. „Kinder", rief er weiter, „verquatscht doch bloß nicht die 25 schönste Zeit! Ich schlage vor, Horst holt den Wagen raus[33] und fährt sofort aufs Fundbüro."

Der Zwischenrufer war Schnock. Das war sein Spitzname. Eigentlich hieß er Werner und war ein Mittelschüler, der kurz vor der „Prüfung der mittleren Reife" 30

30. The expletive **es** anticipates the true subject, **allerhand.**
31. **Jochenschen. Sch** has been added to the name **Jochen,** to form an adjective.
32. **damit rechnen, daß.** What is the English equivalent of anticipatory **damit** here?
33. **raus** = **heraus.**

stand,[34] ein kleiner stämmiger Junge mit einer sommersprossigen Stupsnase, kleinen verschmitzt lächelnden Augen und, als waschechter Berliner Bengel, mit dem Mund auf dem rechten Fleck.[35]

5 „Also los, Horst, hol' das Auto raus!"[33] drängelte er.

„Halt", sagte da der Komparativ, „ganz so einfach scheint mir der Fall nicht zu liegen." Der Komparativ setzte seine Brille zurecht und holte zu einer längeren Rede aus. Alle lachten, hörten aber zu. Denn der Freund, 10 der auf den komischen Namen Komparativ getauft worden war, pflegte sich stets in wohlgesetzten Worten auszudrücken. Sein Vater war Rechtsanwalt, und er selber wollte es auch werden.[36] Er war ein hoch aufgeschossener Primaner mit einer etwas meckernden Stimme, trug 15 amerikanischen Haarschnitt,[37] spielte ausgezeichnet Klavier, aber nur den heißesten Hot und den modernsten Jazz,[38] hatte auch deswegen Trompeteblasen gelernt und nahm sich und alles, was er tat, in jeder Geste und in jedem Wort sehr wichtig. Seinen Spitznamen hatte er 20 bekommen, als er wieder einmal etwas sehr Einfaches ungewöhnlich kompliziert ausgedrückt hatte, so daß Schnock ihn anfuhr: „Halt jetzt die Klappe, du Schaf!" — „Entschuldige, Schnock", hatte das Schaf erwidert, „mein Name ist Schäfer!" — „Um so schlimmer, dann bist 25 du sogar der Komparativ von Schaf!"[39] — Es hatte ein

34. **ein Mittelschüler, der kurz vor der „Prüfung der mittleren Reife" stand,** a student in an intermediate school who was about to take the examination for the leaving diploma. Werner, who must be about sixteen years old, will have received ten years of schooling, six in an elementary school (**Volksschule**) and four in an intermediate school (**Mittelschule**).

35. **mit dem Mund auf dem rechten Fleck,** never at a loss for words.

36. **es . . . werden,** to become one.

37. **trug amerikanischen Haarschnitt,** had a crew-cut.

38. **den heißesten Hot und den modernsten Jazz** [dʒæz]. American "culture" has obviously spread to Germany.

39. **der Komparativ von Schaf.** An analogy in English would be to consider the proper name "Walker" the comparative degree of the proper name "Walk."

schallendes Gelächter über die Schlagfertigkeit Schnocks gegeben, und seit diesem Tage hieß Hänschen Schäfer nur noch der Komparativ.[40]

Und der dozierte jetzt vor seinem Publikum: „Herrschaften, schenkt mir bitte eine Minute Gehör und leiht mir euer nachbarliches Ohr!" Und mit ausgestrecktem Zeigefinger seine Ausführungen unterstreichend, fuhr er fort: „So wie ich die Sachlage beurteile, gibt es hier nur zwei Möglichkeiten. Entweder ist *Die Fliegende Untertasse* gefunden oder sie ist nicht gefunden. (Zwischenruf: „Sehr richtig, bravo!") Ist sie gefunden,[41] dann liegt sie im Fundbüro, und es ist gut. Ist sie nicht gefunden,[41] gibt es wiederum zwei Möglichkeiten: entweder wir selber finden sie in der Stadtbahn, oder wir finden sie nicht."

40. **Seit diesem Tage hieß Hänschen Schäfer nur noch der Komparativ.** Use the past perfect in English here, to show that a practice that had begun in past time was continuing at the time in question. **Hänschen,** Johnny. **nur noch,** nothing but.

41. **Ist sie gefunden, . . . Ist sie nicht gefunden, . . . Finden wir sie, . . . Finden wir sie nicht, . . . Wenn** is implied at the beginning of each of these clauses.

Da fiel Schnock ihm ins Wort, indem er die Redeweise des Komparativs mit ausgestrecktem Zeigefinger nachahmte: „Finden wir sie,[41] ist es gut. Finden wir sie nicht,[41] dann gibt es wiederum zwei Möglichkeiten: entweder du hältst deine frisierte Schnauze, oder wir setzen dich an die Luft. Ich schlage in deinem Interesse vor, du wählst die erste Möglichkeit, lieber Komparativ. Mensch,[42] merkst du denn nicht, daß hier Eile nottut? Keine weiteren Reden mehr! Jetzt gibt's nur noch eins: sofort im Fundbüro nachfragen, denn wenn die Untertasse da wohlbehalten gelandet ist, dann brauchen wir doch nur noch auf die Auszahlung des großen Loses zu warten. Ich bin für Schluß der Debatte, wer noch?“

„Er hat recht“, meinte Horst, „auf ins Fundbüro! Ich nehme den Volkswagen, jetzt wo er sowieso verbeult ist, spielt es keine Rolle mehr, ob ich noch ein paar Kilometer mehr damit fahre. Nobel geht die Welt zugrunde!“[43]

42. **Mensch,** "man."
43. **Nóbel geht die Welt zugrunde!** We might as well do it up right.

„Ja, aber wenn das Buch gar nicht auf einem westlichen Fundbüro liegt, sondern im Ostsektor! Was macht ihr dann?“ nahm Peter das Wort. „Vielleicht gestattet ihr, daß ich[44] zu dieser Sache, die ja schließlich in erster Linie m e i n e Sache ist, auch einmal das Wort nehme. Ich habe mir unterwegs bereits einen Schlachtplan zurechtgelegt, den ich jetzt vortragen will.

„Wir errichten hier bei Horst eine Telefonzentrale, die von Bärbel und Christa besetzt wird, denn zwei müssen's mindestens sein, damit eine notfalls einen Botengang machen kann. Horst, du fährst natürlich nicht mit dem angebeulten Wagen deines alten Herrn, sondern zusammen mit mir auf Jürgens Motorroller — Jürgen einverstanden?“ — „Selbstverständlich!“ gab der Schwarzkopf zurück. — „Also auf Jürgens Motorroller ins Fundbüro, aber nicht in das der S-Bahn,[45] sondern ins städtische Zentralfundbüro am Tempelhofer Flughafen[46] in West-Berlin. Denn — und nun kommt etwas, was ihr wahrscheinlich nicht wißt — die Berliner Stadtbahn hat überhaupt kein Fundbüro im W e s t e n, sondern nur in O s t - B e r l i n. Darauf komme ich später noch zurück. Es liegt am Alex.[47] Horst und ich fahren also zum Flughafen und rufen von dort sofort an, um das Ergebnis unserer Nachforschungen der Telefonzentrale zu melden. Die Mädchen dürfen also keine Privatgespräche in dieser Zeit führen, damit die Nummer nicht besetzt ist. Unabhängig davon fahren alle übrigen . . . wieviel sind das also?“[48]

Peter unterbrach sich und zählte: „Wir sind heute mit

44. **Vielleicht gestattet ihr, daß ich . . .** Perhaps you will permit me to . . .
45. **in das** (dem.) **der S-Bahn,** to that (i.e., the lost-and-found office) of the Municipal Railway.
46. **am Tempelhofer Flughafen.** Refer to the map of Berlin.
47. **am Alex(anderplatz).** Refer to the map of Berlin.
48. **Wieviel sind das also?** How many does that leave then?

mir zusammen elf Nachbarn.[49] Die beiden Telefonistinnen und die Fundbürofahrer und ein Fundbürofahrer zum Ostsektor abgerechnet, bleiben sechs Mann,[50] wobei ich unser kleines Pummelchen, die Gisa, auch als ‚Mann' rechne, einverstanden, Gisa?"

Aber Gisa protestierte: „Ich bin kein Pummelchen mehr!" Schließlich hatte sie recht, sie war gerade gestern fünfzehn geworden und sah nur so aus wie[51] dreizehn.

Peter fuhr fort: „Die restlichen sechs Mann teilen wir in zwei Gruppen zu je drei Mann . . ."

„Warum nicht drei Gruppen zu zwei?" fragte Schnock. „Ist doch besser, haben wir doch mehr Suchmöglichkeiten!"[52]

„Nein", erklärte ihm Peter, „ihr müßt immer mal damit rechnen, daß[53] etwas Unerwartetes passiert und einer von euch telefonieren, der andere einen Schupo holen und der dritte vielleicht als Verbindungsmann eingesetzt werden soll,[54] dann sind zwei zu wenig. Und außerdem möchte ich[55] die ‚Bundesfahne', unsere drei Jötter, als eine Einheit auf Patrouille schicken. Also die beiden Suchpatrouillen gehen jetzt sofort zur S-Bahn und versuchen, den Zug und das Raucherabteil zu erwischen, in

49. **Wir sind . . . elf Nachbarn.** There are eleven of us Neighbors . . .
50. **Mann.** Note this old plural form, which is common in the language of the armed forces.
51. **so aus wie. So** simply anticipates **wie.**
52. **Ist doch besser, haben wir doch mehr Suchmöglichkeiten! Das** is implied at the beginning of the first clause. Express the emphatic, inverted word order and the **doch** of the second clause in English by beginning the clause with "for." Use the future tense in both English clauses.
53. **damit rechnen, daß.** How should we anticipate the conjunction "that" in English here?
54. **eingesetzt werden soll.** Choose the correct meaning of the modal **sollen.** What is the English equivalent of the passive infinitive **eingesetzt werden?**
55. **möchte ich,** I would like. This is the imperfect subjunctive.

dem das Buch vielleicht noch liegt. Es ist jetzt 15.45 Uhr.[56] Zwischen 17 und 17.30 Uhr[56] rufen alle ausgesandten Gruppen die Zentrale an und holen sich Auskunft oder neue Anweisungen. Und bevor wir jetzt starten, werden wir durch Anruf bei der S-Bahn ermitteln, wie lange die S-Bahnzüge auf den beiden Endstationen Wannsee und Nordbahnhof Ruhepause zu machen pflegen, bevor sie zurückfahren. Dann können wir uns an Hand der Gesamtfahrzeit von Endstation zu Endstation ausrechnen, wo sich etwa unser Zug jetzt befinden muß. Das besorgt natürlich unser Mathematikus, der Jocko, der versteht sich auf sowas."

Der schweigsame Jocko sagte nur: „Stimmt!",[57] nickte mit dem Kopf[58] und ging sofort ans Telefon im Hause.

Da meldete sich Bärbel zum Wort und fragte: „Dürfen wir Mädchen auch mal was sagen?" — „Nein, natürlich nicht", rief die „Bundesfahne" wie aus einem Munde. — „Natürlich dürft ihr, bitteschön!" sagte Peter.

„Diese umständliche Organisiererei, lieber Peter, ist ja ganz schön und gut, aber wozu das alles,[59] wenn man vielleicht durch einen einzigen Telefonanruf im Fundbüro der S-Bahn feststellen kann, ob das Buch gefunden wurde[60] oder nicht?"

Auf diesen Einwand war Peter vorbereitet: „Das habe ich mir natürlich auch sofort überlegt, aber ich bin davon abgekommen. Ihr wißt vielleicht — oder wißt es auch nicht[61] — daß die ganze Berliner Stadtbahn seit 1945 nicht

56. **15.45 Uhr, 17 und 17.30 Uhr.** How are these to be read in German? Express them in English in terms of p.m. time.
57. **Stimmt!** The subject **das** is implied.
58. **nickte mit dem Kopf.** What becomes of the preposition and the definite article in the English construction?
59. **Aber wozu das alles?** But what good is all that?
60. **gefunden wurde, wurde ... unterstellt, wird ... betreut.** Determine the tense of **werden** and give the corresponding form of "to be", the English auxiliary verb in the passive voice.
61. **oder wißt es auch nicht,** or perhaps you don't know.

mehr in irgendeiner westlichen Hand ist,[62] weder in der westdeutschen noch in einer der[63] westlichen Besatzungsmächte. Die Berliner S-Bahn wurde 1945 der sowjetischen Besatzungsmacht unterstellt,[60] und sie wird infolgedessen
5 heute von der Ostzonenverwaltung betreut.[60] Alle Bücher und Schriften, die also in der S-Bahn gefunden werden, gehen erst einmal durch eine politische Kontrolle der Ostzonenverwaltung. Deswegen habe ich es[64] auch unterlassen, die Hilfe der S-Bahn überhaupt in Anspruch zu
10 nehmen. Denn dann müssen wir damit rechnen, daß die Züge im Ostsektor nach dem Buch durchsucht werden, und findet[65] dann irgendein Ostbeamter oder ein Vopo *Die Fliegende Untertasse*..." — „...wird sie natürlich sofort beschlagnahmt", unterbrach Schnock die Rede Peters.
15 „Ist ja klar![66] *‚Fliegende Untertasse* im S-Bahnzug!' das wär' ja'n gefundenes Fressen für'ne Ostzeitung, was?"[67]

Alle lachten. Aber Peter meinte: „In dem Buch ist ja gar nichts Politisches drin,[68] doch würde jedenfalls eine solche Kontrolle große Scherereien machen,[69] und darum,
20 meine ich, sollten[70] wir vollkommen still sein und versuchen, das Buch mit dem Los unter allen Umständen selber zu finden."

Alle stimmten zu. „Und noch etwas", sagte Peter, „hier

62. **seit... ist.** What is the correct English tense?
63. **in einer der.** Beware of the combination **ein** as a pronoun ("one") plus the genitive plural of the definite article ("of the").
64. **Es** anticipates the infinitive construction beyond the comma.
65. **findet. Wenn** is implied at the beginning of the clause.
66. **Ist ja klar!** The subject **es** is implied.
67. **Das wär' ja'n gefundenes Fressen für'ne Ostzeitung, was?** Such elision is common in Berlin dialect. What does each apostrophe represent? The imperfect subjunctive form **wäre** equals English "would be" here. **Was** is colloquial for **wie** or **nicht wahr.** (See also voc.).
68. **In dem Buch ist . . . drin.** English requires the expletive "there." **Drin** is redundant.
69. What does the present conditional form **würde . . . machen** become in English?
70. **sollten,** imperfect subjunctive.

habt ihr das nötige Kleingeld", indem er sein Büchergeld unter die Nachbarn verteilte. „Wer[71] aus irgendeinem Grund eine Taxe nehmen muß, darf das gerne tun. Wir rechnen nach eurer Rückkehr ab. Aber zum Konditern in einer Eiskondite ist das Geld nicht da,[72] Herrschaften", fügte er augenzwinkernd hinzu, „das sparen wir uns für später auf!"

„Bis zum Endsieg!" rief Schnock, und alle lachten voller Hoffnung auf ein Gelingen der Suchaktion.

Inzwischen hatte der Mathematikstudent Jocko eifrig mit der S-Bahnauskunft telefoniert und ermittelt, daß die Züge in der Hauptverkehrszeit etwa drei bis fünf Minuten, in der übrigen Zeit etwa zehn Minuten Aufenthalt auf der Endstation zu haben pflegen, bevor sie umkehren. Jocko hatte ausgerechnet, daß der Zug X[73] inzwischen zweimal die Strecke Wannsee—Nordbahnhof hin- und hergefahren sein mußte[74] und jetzt etwa gegen 16 Uhr von Nordbahnhof nach Wannsee zurückfahren dürfte.[75] Er meinte, es würde sich also empfehlen, die zwei Suchkolonnen in alle Züge einsteigen zu lassen, die zwischen 16.15 Uhr and 16.30 Uhr von Nordbahnhof über Friedrichstraße — Potsdamer Platz — Schöneberg[76]— Friedenau —Steglitz nach Wannsee fuhren.

Die beiden Suchpatrouillen erhielten also den Auftrag, auf dem Bahnhof Steglitz in die S-Bahn einzusteigen und dem Zuge X entgegenzufahren. Eine Patrouille, und zwar die „Bundesfahne", sollte sicherheitshalber auch alle von

71. **wer.** What is the indefinite relative pronoun in English?
72. **Aber zum Konditern . . . ist das Geld nicht da.** However, the money is not meant for feasting . . .
73. **X.** What is the German pronunciation?
74. **zweimal . . . hin- und hergefahren sein mußte,** must have made two round trips.
75. **zurückfahren dürfte,** was probably returning. Note the use of the imperfect subjunctive to express probability.
76. Find **Friedrichstraße, Potsdamer Platz,** and **Schöneberg** on the map of Berlin.

Wannsee nach der Innenstadt fahrenden Züge[77] kontrollieren. Die andere Patrouille, die aus dem Komparativ, Gisa und Schnock bestand, übernahm es,[78] dem wahrscheinlich richtigen Zug bis Schöneberg entgegenzufahren, 5 dort die Suchaktion zu beginnen und dann Zug für Zug zu kontrollieren.

„Und ich fahre jetzt zum Alex", erklärte Jocko zu Peter gewandt. „Wir müssen jede Chance wahrnehmen. Immerhin kann das Buch gefunden und als harmlos erkannt 10 sein[79] und schon jetzt dort auf dem Fundbüro liegen."

Peter freute sich, daß Jocko so umsichtig war und selber den Vorschlag machte. Es blieb ja nichts anderes übrig, als dort direkt nachzufragen, denn selbst wenn man hätte telefonieren wollen, so wäre das ja nicht möglich gewe- 15 sen,[80] da es seit einer Reihe von Jahren zwischen den Westsektoren Berlins und dem Ostsektor keine Telefonverbindung mehr gab.[81]

„Aber bitte", sagte Peter zu Jocko, „tu mir einen Gefallen und nimm keine Westmark mit rüber[82] in den 20 Ostsektor! Du weißt, daß die Westmark drüben verboten und die Sektorengrenze eine Währungsgrenze ist. Kaufen kannst du dir ja sowieso nichts drüben, nicht mal ein warmes Würstchen beim Wurstmaxen auf dem Alex, weil du ja einen Ostausweis dazu brauchst. Also bitte, laß dein 25 Westgeld hier oder wechsle etwa fünf Westmark auf der

77. **[1]alle [4]von [5]Wannsee [6]nach [7]der [8]Innenstadt [3]fahrenden [2]Züge.** Treat the elements in the order indicated.

78. **Es** anticipates the infinitive construction beyond the comma.

79. **kann . . . gefunden und . . . erkannt (worden) sein,** may have been found and recognized . . .

80. **hätte telefonieren wollen, . . . wäre . . . nicht möglich gewesen,** had wanted to telephone, . . . would not have been possible. You would do well to memorize this contrary-to-fact conditional sentence in past time with the past perfect subjunctive in both clauses. Note the "double infinitive" in the first clause.

81. **seit . . . gab.** Why does English require the past perfect tense here?

82. **rüber (= herüber),** where we would expect **hinüber.**

Wechselstube! Da kriegst du an die[83] zwanzig bis fünfundzwanzig Ostmark, das dürfte für alle Ausgaben drüben reichen,[84] falls du Gebühren bezahlen mußt oder Ähnliches."

„Hör' mal, Peter, bin ich vielleicht von gestern, oder wem sagst du das alles? Ich fahre doch nicht zum ersten Mal rüber.[82] Du weißt doch, daß Ursula drüben wohnt und . . ."

„Entschuldige, das hatte ich vergessen. Ich habe heute nur so eine unbestimmte Angst, als ob heute am Freitag, dem 13.,[85] immer noch was ganz Tolles[86] passieren könnte!"

„Keine Angst, Peter", sagte da Jocko, „was soll denn schon passieren, du hast doch alle Nachbarn auf deiner Seite, alter Junge!" Er drückte dem Freunde fest die Hand, und Peter erwiderte dankbar den Händedruck. „NV—NF!" sagten sie beide gleichzeitig.

Mit einem Seufzer der Erleichterung atmete Peter auf. Er sah nach der Uhr. Genau vier Uhr, und die Suchaktion war in vollem Gange. Peter und Horst setzten sich auf Jürgens Motorroller und fuhren zum Flugplatz Tempelhof, allerdings ohne allzuviel Hoffnung auf Erfolg.

83. **an die,** approximately.
84. **dürfte . . . reichen,** imperfect subjunctive. Use the future indicative with "probably" in English.
85. **dem 13.** Read **dem dreizehnten.**
86. **immer noch was ganz Tolles. Immer** simply emphasizes **noch. Was** is colloquial for **etwas.**

6 *Die weiße Hand einer dunklen Dame*

Wenn Jockos Berechnungen stimmten, dann mußte der Komparativ mit seinen beiden Kameraden Gisa und Schnock die größte Aussicht haben, den richtigen Zug als erste abzufangen.[1] Von Steglitz bis Schöneberg war es eine

1. **den richtigen Zug als erste abzufangen,** of being the first to intercept the train in question.

Fahrt von beinahe zehn Minuten. Wenn sie den Zug 16.20 Uhr ab Steglitz[2] noch erreichten, konnten sie also ab 16.30 Uhr in Schöneberg dem Eintreffen des Zuges X innerhalb von fünf bis fünfzehn Minuten entgegensehen.

Am Schalter des Bahnhofs Steglitz stand eine Schlange, die den quecksilbrigen Schnock ungeduldig machte. Glücklicherweise hatte der Komparativ genügend Groschen in der Tasche. Die steckten sie einen nach dem andern in den Schlitz der Fahrkartenautomaten, der in wilder Hast ein gelbes Pappstück nach dem andern ausspuckte. Mit großen Schritten, immer zwei-drei Stufen auf einmal nehmend, rannten sie die Treppe zum Bahnsteig hinauf, denn sie hatten gerade einen Zug von Wannsee her einfahren hören.[3] Im letzten Augenblick huschten sie noch ins Abteil, ehe die Türen des Zuges sich automatisch schlossen. Nur die drei Jötter waren zurückgeblieben. Sie brauchten ja auch keine so große Eile zu haben.[4]

„Um diese Zeit pflegen die Züge noch sehr leer zu sein", stellte der Komparativ fest, wie sie es sich in einem der vielen kleinen Vierer-Abteile des großen Stadtbahnwagens bequem machten.

„Du verfügst zweifellos über eine ausgezeichnete Beobachtungsgabe", äffte Schnock das umständliche Deutsch des Komparativs nach und fügte hinzu: „Nun hör' bloß mal für fünf Minuten mit deinem dummen Gerede auf! Jetzt müssen wir nämlich unsern Suchplan machen. Ich bin dafür, daß[5] wir nicht gleich in das letzte Raucherab-

2. **16.20 Uhr ab Steglitz,** leaving Steglitz at 4:20 p.m.
3. **hatten . . . einfahren hören.** What is the English equivalent of this past perfect construction with a "double infinitive"?
4. **Sie brauchten ja auch keine so große Eile zu haben.** After all, they were not in such a great hurry.
5. **dafür, daß; darauf . . . , daß; darüber . . . , wo.** Let your ear for English suggest the equivalent of each anticipatory **da(r)-,** if any.

teil an der Stelle einsteigen, wo das Buch liegen muß, sondern ganz hinten im Wagen."

„Sehr gut, aber darf ich dich höflichst darauf aufmerksam machen, lieber Schnock", sagte jetzt der Komparativ sehr von oben herab, „daß[5] das Buch sich natürlich nicht im letzten Wagen befinden kann?"

„Na wo denn sonst, du Klugschnacker?"

„Selbstverständlich im ersten Wagen. Bekanntlich ist der letzte und der erste Wagen jedes S-Bahnzuges ein Triebwagen, so daß die Zugführer auf der Endstation nur vom ersten in den letzten Wagen umzusteigen brauchen, wodurch dieser zum ersten Wagen bei der Rückfahrt wird, und jener Zug X befindet sich bekanntlich auf der Rückfahrt von Nordbahnhof nach Wannsee, Herr Klugschnacker!"

„Eins zu eins, meine Herren!", entschied Gisa als Schiedsrichter dieses Klugschnackerspiel. „Aber wollen wir uns nicht doch lieber[6] bis Schöneberg schnell darüber klar werden, wo[5] wir nun eigentlich einsteigen wollen?"

„Meine Hochachtung, Komparativ!" sagte Schnock anerkennend. „Mann, du hast ja tatsächlich Grütze im Kopp![7] Wir müssen also in den ersten Wagen einsteigen, und zwar natürlich dann ganz vorne durch die erste Tür; dann können wir den ganzen Wagen durch den Mittelgang hin übersehen."

„Sehr richtig", ergänzte ihn der Komparativ, „denn am Ende des Mittelgangs müßte dann theoretisch oben im Gepäcknetz links in dem kleinen Sonderabteil am hinteren Ausgang des Wagens das Buch liegen.[8] Rein theoretisch!"

6. **Aber wollen wir . . . nicht doch lieber . . . ?** But wouldn't we really do better to . . . ?
7. **Kopp,** Low German for **Kopf.**
8. **müßte . . . liegen,** would have to be, should be. Note the use of the imperfect subjunctive in diplomatic assertion.

„Was heißt hier ‚müßte' und ‚theoretisch'? Da muß es einfach praktisch liegen, sonst ist alles verloren. Aber schnell raus[9] jetzt. Wir sind in Schöneberg!"

Die drei Nachbarn stiegen aus und gingen auf eine der großen Fahrplantafeln zu, die überall auf dem Umsteigebahnhof Schöneberg aushingen. 5

„Ab 16.10 Nordbahnhof![10] Das müßte eigentlich der richtige Zug sein. Der muß also in ein paar Minuten hier eintreffen. Versuchen wir[11] mal bei dem unser Glück!"

Sie gingen auf dem Bahnsteig nach vorn, wo die Zugspitze zu halten pflegt. „Könnt ihr beiden Klugschnacker mir eigentlich verraten, warum ihr nicht gleich an der Tür einsteigen wollt, wo das Buch unseren Berechnungen nach[12] liegen müßte?" fragte Gisa, während sie auf den Zug warteten. 10 15

„Weil es immer besser ist, die Situation, in die man sich begibt, zunächst aus der Entfernung zu überschauen und erst auf Grund dieser Beobachtung die nötigen Entscheidungen zu treffen", gab der Komparativ mit belehrend ausgestrecktem Zeigefinger zur Antwort. 20

„Also das heißt auf deutsch: Vorsicht ist die Mutter der Porzellankiste. Sieht doch komisch aus,[13] wenn wir uns zu dritt da gleich auf das grüne Paket stürzen. Man muß sich doch erst dran gewöhnen, denn man gewöhnt sich an alles, sagte die Köchin zum Aal, als sie ihm die Haut[14] abzog. Also, Kinder, ich schlage vor, meine Wenigkeit geht zunächst mal erst allein durch den Mittelgang, und ihr beiden wartet ein bißchen im Hintergrund 25

9. **raus (= heraus),** where we would expect **hinaus.**
10. **Ab 16.10 Nordbahnhof.** The train leaves the **Nordbahnhof** at 4:10 p.m.
11. **Versuchen wir . . . !** Use "let's try" in English for this present subjunctive form.
12. **unseren Berechnungen nach.** Whenever **nach** follows its object, the meaning is "according to."
13. **Sieht doch komisch aus.** The subject **es** is implied.
14. **ihm die Haut.** Use a possessive adjective in English.

als Beobachtungsposten. Im übrigen kennen wir uns[15] nicht, verstanden? Erst wenn alles klar und die Luft rein ist und uns niemand Peters Eigentum streitig machen will, können wir ja die diplomatischen Beziehungen wieder 5 aufnehmen."

„Einverstanden", sagten der Komparativ und Gisa, und sie stellten sich getrennt voneinander an die Bahnsteigkante.

Da lief der erwartete Zug auch schon ein. Es war ein 10 Kurzzug. Die drei Nachbarn mußten eiligst an die zwanzig Meter zurücklaufen. Sie hatten über ihrer taktischen Diskussion[16] vergessen, daß vor Beginn der Hauptverkehrszeit um 17 Uhr fast ausschließlich Kurzzüge verkehren. Sie erreichten gerade noch vor Türschluß das Raucher-15 abteil, und Schnock ging auch sofort durch den Mittelgang weiter nach hinten, während Gisa und der Komparativ an der Eingangstür stehen blieben. Der Zug war nur schwach besetzt. In den kleinen Vierer-Abteilen saß meist nur ein vereinzelter Reisender. Schnock ging, ohne sie 20 eines Blickes zu würdigen, schnell an ihnen vorüber, denn sein Auge war wie gebannt auf das Gepäcknetz da hinten im Wagen gerichtet. Auch der lange Komparativ konnte es deutlich sehen: da lag tatsächlich und wunderbar grün das Buch! Ganz gegen die Verabredung[17] stieß 25 der Komparativ Gisa an und gestikulierte voll wilder Freude: „Die Fliegende Untertasse!"

Aber in diesem Augenblick geschah etwas völlig Unerwartetes. Eine schlanke, feine, weißbehandschuhte Hand kam über der Wand des kleinen Sonderabteils da hinten 30 im Wagen zum Vorschein, griff nach dem Buch im grü-

15. **Uns** is the equivalent of **einander** here.
16. **über ihrer taktischen Diskussion,** in their preoccupation with the discussion of tactics.
17. **ganz gegen die Verabredung,** in complete violation of their agreement.

nen Umschlag und holte es herunter. Schnock blieb wie angewurzelt stehen. Dann sah er sich nach dem Komparativ und Gisa um, und beide gaben durch heftiges Knopfnicken zu verstehen, daß sie das schreckliche Verschwinden des Buches auch bemerkt hatten.

Schnock ging jetzt kurz entschlossen auf das kleine Sonderabteil zu. Da saß in der linken Ecke am Fenster ganz allein eine junge Dame mit weißen Handschuhen und öffnete gerade den Umschlag des Buches. Die beiden roten Gummibänder hingen über dem kleinen Finger ihrer linken Hand. Jetzt nimmt sie das Buch heraus.[18] Jetzt liest sie den Titel. Sie blättert in dem Buch. Schnock sieht, wie ihr Gesicht den Ausdruck der Überraschung

18. **Jetzt nimmt sie das Buch heraus.** Why does the writer deliberately change from the imperfect to the present tense at this point?

annimmt: sie hält ein Lotterielos in der Hand, und dann wickelt sie kurzerhand das Buch wieder ein. Schnock denkt — Jetzt wird sie es ins Gepäcknetz zurücklegen, es ist[19] ja eine gut gekleidete junge Dame, die doch wohl
5 keine Fundunterschlagung machen wird. — Aber nein, ohne mit der Wimper zu zucken, steckt sie *Die Fliegende Untertasse* samt dem Lotterielos einfach in ihre Handtasche, die links neben ihr auf der Sitzbank steht. — Eine ziemlich große Handtasche übrigens — stellt Schnock mit
10 einem Blick fest. Auf dem Gesicht der Dame liegt ein merkwürdiges Lächeln. — Ein teuflisches Lächeln — denkt Schnock, ein Lächeln, das Schnock ganz besonders reizt, ein empörendes Lächeln. — Sicher eine routinierte Gaunerin, diese feine Frauensperson[20] — denkt Schnock. —
15 Na, warte nur, du falsche Schlange — denkt er weiter, indem er sich auf den Platz schräg gegenüber setzt — dich werden wir schon fangen.

Aber wie? Schnock schaut sich die Dame genau an. — Eigentlich gehörst du in den Sessel eines Salons und
20 nicht auf die harte Holzbank eines Eisenbahnabteils — meint er. Das schicke hellgelbe Frühlingskostüm, der elegante weiße Strohhut, hinter dem sie ihr Profil leicht verstecken kann, wenn sie will, paßt doch gar nicht in diese billige Umgebung. Das allein macht Schnock die Dame
25 schon recht verdächtig.[21] — Wie alt mag sie sein? — fragt er sich. — Sicher schon eine etwas ältere Dame so um 21 oder 22 herum — schätzt Schnock mit dem Blick des Kenners.

Aber was tun?[22] Sein Mut ist plötzlich verschwunden,

19. **es ist,** she is.
20. **Frauensperson,** "dame."
21. **Das allein macht Schnock** (dat.) **die Dame schon recht verdächtig.** That by itself is enough to make Schnock suspicious of the lady.
22. **Aber was tun?** Make Schnock the subject and introduce an inflected verb form.

seine ganze freche Schnoddrigkeit hat ihn verlassen. Sogar seine Berliner Schnauze läßt ihn jetzt im Stich.

Inzwischen sind sie schon über Steglitz hinaus, und Schnock sieht sich vorsichtig nach dem Komparativ und Gisa um. Sie stehen jetzt beide hinter ihm am Türeingang, und Schnock sieht, wie der Komparativ etwas in sein Notizbuch schreibt. — Natürlich — denkt er — der muß ja jetzt auch[23] seine Memoiren schreiben, in diesem entscheidenden Augenblick, wo alles darauf ankommt![24] Im Augenblick der Entscheidung ist der Mann[25] stets allein — denkt Schnock. Er rutscht auf seinem Platz unruhig hin und her. Endlich faßt er sich ein Herz und sagt:

„Entschuldigen Sie, gnädiges Fräulein! Sie haben vorhin ein Buch an sich genommen, das Ihnen nicht gehört?"

„So?" sagt die Dame errötend, indem sie nervös mit ihren Fingern an der Handtasche spielt. „Gehört es vielleicht Ihnen?"

„Nein."

„Na also!"[26]

„Was heißt hier ‚na also'?"

„ ‚Na also' heißt ‚na also'! Das Buch gehört Ihnen also nicht, stelle ich nur fest, und ob es mir gehört oder nicht, das geht Sie einen feuchten Kehricht an,[27] um nicht zu sagen Dreck, junger Mann!"

„Aber Sie haben doch das Buch eben erst aus dem Ge-

23. **auch,** of all things.
24. **wo alles darauf ankommt,** when everything is at stake.
25. **der Mann (= der Mensch),** man.
26. **Na also!** Well then.
27. **Das geht Sie einen feuchten Kehricht an.** You will find all such idiomatic expressions in the end vocabulary. The reader need not be a linguist to realize that colloquial speech, slang, and Berlin dialect are involved in this conversation. Some of these expressions are not exactly appropriate in the best of circles.

päcknetz genommen, wo es die ganze Zeit über[28] gelegen hat!"

„Vielleicht habe ich es selber dahin gelegt. Denken Sie mal sehr scharf nach, dann dürfen Sie dreimal raten. Sie denken wohl, Sie können mich hier auf den Arm nehmen. Nein, mein junger Freund, auf diese Weise quatscht man keine Dame an, das merken Sie sich mal!"

„Mensch, da bleibt einem ja die Spucke weg!" sprudelt es jetzt aus Schnock heraus. „Hast du Worte? Vornehm wie eine Puppe aus'm[29] Schaufenster, und dann klaut sie und macht lange Finger! Sie haben sich fremdes Gut angeeignet, Fräulein. Wissen Sie, was das ist: das ist Fundunterschlagung. Das kann Sie drei Monate kosten."[30]

„Na, sagen wir:[31] acht Tage!" sagt da ganz frech die „Puppe im Schaufenster." „Aber nun halten Sie mal schleunigst die Luft an, junger Mann, und werden Sie hier nicht pampig! Sonst könnte es Ihnen passieren, daß Ihre Braut Sie am nächsten Sonntag im Krankenhaus besuchen muß!"

Und damit greift sie nach einem Köfferchen, das oben im Gepäcknetz liegt, rauscht mit Handtasche und Köfferchen an Schnock vorbei und sagt, während sie das Abteil verläßt: „Und wenn Sie nun noch nicht Ihre Klappe halten, rufe ich die Polente!"[32]

„Die gibt ja an wie eine Tüte Mücken", sagt da plötzlich Gisa, wie sie alle drei hinter der Dame das Abteil

28. **die ganze Zeit über** (= **die ganze Zeit hindurch**), all this time, the whole time.

29. **aus'm** = **aus einem.**

30. **Das kann Sie drei Monate kosten.** Note the accusative of the person (**Sie**) with **kosten.**

31. **Sagen wir!** How should we express this present subjunctive form in English?

32. A German who regularly says **Polente** instead of **Polizei** is on the same level as an American who finds "cop(per)s" more natural than "police."

verlassen. Aber nicht lange bleiben sie zu dritt,[33] denn schon hat sich der Komparativ der Dame angeschlossen und läuft mit ein paar Schritt Abstand hinter ihr her.[34]

„Komparativ beschattet sie", erklärt Gisa dem völlig verdutzten Schnock. „Wir haben ihre Adresse!"

„Ihre Adresse? Wieso?"

„Ja, hast du denn nicht das Schild am Koffer gesehen? Da[35] stand sie drauf. Komparativ hat sie sofort aufgeschrieben und mir eine Abschrift gegeben. Lies mal!"

33. **Aber nicht lange bleiben sie zu dritt.** But the three of them don't stay together long.
34. **läuft mit ein paar Schritt Abstand hinter ihr her,** keeps a few steps behind her.
35. **Da,** redundant.

Schnock liest: Gerda von Klinken,[36] Berlin-Lichterfelde-West,[37] Gartenstr.[38] 3. „Nichts wie hinterher!“[39] sagt er.

„Nein, halt!“ kommandiert da die kleine Gisa. „Komparativ und ich haben verabredet, daß du sofort die Telefonzentrale verständigst und alle Nachbarn nach der Gartenstraße 3 beorderst.[40] Während du das hier in der Telefonzelle am Bahnhof erledigst, soll ich jetzt gleich auch zur Gartenstraße 3 nachfolgen, um festzustellen, ob die schicke Ziege auch wirklich[41] in ihren Stall geht und nicht etwa woandershin. Warte dann hier an der Zelle, bis ich zurückkomme. Komparativ beschattet sie ja inzwischen, um ihre Spur nicht zu verlieren.“

Jetzt steht es zwei zu eins für den Komparativ[42]— denkt Schnock und ist wütend über sich selbst, über seine Feigheit und überhaupt über die ganze Welt! Aber die Telefonzentrale verständigt er natürlich trotzdem.

Bärbel schrie laut: „Juchhu! Sie haben die Untertasse!“ als Schnock sie anrief. Peter sprang sofort an den Apparat. Er war gerade vom städtischen Fundbüro zurückgekommen, natürlich mit negativem Ergebnis. Jetzt wollte er sofort alles ganz genau wissen. Und Schnock berichtete alles ganz genau. Peter wunderte sich: „Sag' mal, Schnock, das mit der ‚Polente‘ das sagst d u jetzt, ‚Polente‘ hat doch die junge Dame sicher nicht gesagt. Sowas sagt doch keine anständige junge Dame!“

„Wer sagt denn, daß die anständig ist? Natürlich hat sie ‚Polente‘ statt ‚Polizei‘ gesagt. Und dann auch noch:

36. **Gerda von Klinken.** The particle **von** is a sign of nobility in German.
37. Find **Lichterfelde-West** on the map of Berlin.
38. **Gartenstr.** = **Gartenstraße.** Refer to the map.
39. **Nichts wie hinterher!** = **Nichts als hinterher!** There's nothing to do but follow her.
40. **haben verabredet, daß du . . . verständigst und . . . beorderst,** have arranged for you to inform . . . and order . . .
41. **auch wirklich,** really.
42. **Jetzt steht es zwei zu eins für den Komparativ.** Now the score is two to one in favor of **Komparativ.**

‚Das geht Sie einen feuchten Kehricht an, um nicht zu sagen Dreck!' "

„Nanu, Schnock, und darüber regst du dich auf, du mit deinem großen Berliner Mundwerk?"

„Ja, wenn ich ‚Polente' sage, dann ist das richtig, ich kann nichts dafür, das ist nun mal meine Muttersprache. Aber nicht, wenn[43] so'ne[44] feine Dame so'n[44] Wort in ihren geschminkten Mund nimmt![45] Weißt du, Peter, was ich glaube? Ich halte sie für'ne[44] Gangsterbraut! Das ist so eine, die abends hinter ihrem Emil auf'm[44] Brautomobil als Klammeräffchen sitzt und dann beim Einbruch Schmiere steht, und am Tage markiert sie Fräulein von Klinken. Ne du,[46] ich lasse mir nichts vormachen. Ich vermute, wenn wir da jetzt alle in die Gartenstraße fahren, werden wir wohl ein ganzes Verbrechernest ausheben!"

„Ich glaube, du spinnst,[47] Schnock!"

„Nein, ich spinne nicht. Die ‚Dame'[48] ist und bleibt verdächtig!"

„Also, ob sie verdächtig ist oder nicht, interessiert mich nicht; ich will mein Lotterielos wiederhaben, alles andere ist mir schnuppe. Und eins will ich dir noch sagen, Schnock: wir spielen hier nicht *Emil und die Detektive,*[49] verstanden? Na, wir sehen uns[50] ja alle gleich in der Gartenstraße, da sprechen wir uns[50] noch! NV—NF!"

43. **Aber nicht, wenn . . .** But it's different if . . .
44. What do **so'ne, so'n, für'ne,** and **auf'm** represent?
45. **Aber nicht, wenn so'ne feine Dame so'n Wort in ihren geschminkten Mund nimmt! . . .** The material from here to the end of the paragraph is not exactly elevated speech.
46. **Ne du** (dialect) . No, I tell you.
47. **Du spinnst.** You're crazy.
48. **„Dame"**, "dame."
49. **Wir spielen hier nicht *Emil und die Detektive.*** We're not playing games.
50. **Wir sehen uns . . . , da sprechen wir uns . . . Uns** is the equivalent of **einander** here.

7 *Ein merkwürdiges Wiedersehen*

Es dauerte doch etwa eine Stunde, ehe sich die Kolonne[1] der Nachbarn vor dem Hause Gartenstraße Nr.[2] 3 in Lichterfelde-West versammelt hatte. Nur Jocko und Christa fehlten. Die pflichtgetreue Christa mußte auf alle Fälle weiter die Telefonzentrale bedienen. Man konnte ja nicht wissen, ob noch weitere Zwischenfälle passieren würden.[3] Und Jocko war noch nicht aus dem Ostsektor zurück.

Die drei Jötter hatten verabredungsgemäß angerufen und waren gleich von der Telefonzentrale nach der Lichterfelder Gartenstraße in Marsch gesetzt worden.[4]

Peter und Bärbel aber waren von Horst im Volkswagen nach Lichterfelde gebracht worden.[4] Horst hatte darauf[5] bestanden, den Wagen seines Vaters zu benutzen. „Wenn da in der Gartenstraße irgendetwas verdächtig ist, brauchen wir vielleicht das Auto, und Bärbel will ja auch mitkommen!" meinte Horst.

„Na, wir wollen mal ehrlich sein, Horst", hatte Peter

1. **Es dauerte doch . . . , ehe sich die Kolonne . . .** However, it took . . . for the group . . . to . . .
2. **Nr.** Read **Nummer.**
3. **passieren würden.** What is the present conditional form in English?
4. **waren . . . in Marsch gesetzt worden, waren . . . gebracht worden.** "Had been" is the sign of the past perfect passive in English.
5. **darauf** anticipates the infinitive construction beyond the comma. Do not confuse **bestehen auf** and **bestehen aus.**

gemeint. „Es ist eben eine glänzende Gelegenheit, mal wieder am Steuer zu sitzen, nicht wahr?" Aber er war auch ganz froh, daß sie den Wagen für alle Fälle zur Verfügung hatten. Denn Schnocks Bericht über die merkwürdige „Dame" hatte ihn doch etwas nachdenklich gemacht. 5

Zuletzt kam Schnock, weil Gisa ihn nicht früher von der Telefonzelle abgeholt hatte. Als er erschien, war es schon recht dunkel geworden, und Schnock stellte sofort mit detektivischem Blick fest: „Das Haus hier liegt ja ganz einsam an der Ecke. Alle Nachbarhäuser sind ausgebombt, und kein Mensch sieht und hört hier etwas, weit und breit. Ich wette darauf, daß[6] das hier eine Räuberhöhle ist." 10

„Der Meinung sind wir auch nach dem, was[7] wir gehört haben", sagte jetzt Jochen stellvertretend für die drei Jötter. 15

„Sollten wir nicht doch lieber[8] die Polente verständigen? — ich meine die Polizei", verbesserte sich die kleine Gisa.

„Kommt ja gar nicht in Frage!"[9] sagte Peter. „Mit dem Fräulein von Klinken werden wir in ihrer ‚Räuberhöhle' schon fertig werden; schließlich sind wir ja nicht die Schwächsten:[10] sieben Jungen und zwei Mädels, und die Jötter zählen doppelt!" 20

„Aber auf alle Fälle sollten wir das verdächtige Haus umstellen", schlug Schnock vor, „schon damit keiner hinten im Garten aus dem Fenster springen und entfliehen kann." 25

Peter sah sich Haus und Garten von der Straße aus

6. **darauf, daß.** Does English permit an anticipatory element here?
7. **Der Meinung sind wir auch nach dem, was . . .** We are of the same opinion after what . . . **Dem** anticipates **was.**
8. **Sollten wir nicht doch lieber . . . ?** But wouldn't we do better to . . . ?
9. **Kommt ja gar nicht in Frage!** Supply **das** as the subject.
10. **Schließlich sind war ja nicht die Schwächsten.** After all, we're not exactly weak.

näher an. In der Tat, es lag ja hier draußen völlig einsam. Es war eine zweistöckige Vorkriegsvilla, offenbar von Bomben nur leicht beschädigt und nach dem Kriege repariert. Obwohl es jetzt fast dunkel war, drang kein
5 Licht aus den nach der Straße zu gelegenen Fenstern[11] heraus. Außerdem lag das Haus ziemlich weit im Hintergrunde des Gartens, so daß man durch die Weinlaubranken des Gartengitters überhaupt nur schwer[12] am Hause selber etwas erkennen konnte. Auch die soeben erleuchte-
10 ten Straßenlaternen[13] warfen nur ein schwaches Licht über den Gartenzaun.

„Du, Komparativ",[14] fragte Peter, „hast du gesehen, ob außer der Dame inzwischen noch jemand in die Villa gegangen ist?"

15 „Ja, vor etwa einer Viertelstunde ein Herr mit einem Stadtkoffer und einer Aktenmappe!"

„Wie ist er denn in das Haus gekommen? Hatte er einen Schlüssel?"

„Nein, ich sah, wie er oben an dem kleinen Seitenein-
20 gang, da wo die sechs Treppenstufen raufführen,[15] klingelte."

„Und wer hat ihm aufgemacht?"

„Das konnte ich nicht genau sehen. Es ging alles so schnell. Offenbar hatte man den Mann da drinnen schon
25 erwartet."

„Ist dir sonst noch etwas hier aufgefallen, während du hier allein standest und das Haus beobachtetest?"

Der Komparativ dachte nach. „Nein, nichts Besonderes.

11. [1]**den nach** [4]**der** [5]**Straße zu** [3]**gelegenen** [2]**Fenstern.** Treat the elements in the order indicated. **nach der Straße zu gelegen,** facing the street.
12. **überhaupt nur schwer,** only with the greatest difficulty.
13. [1]**die** [3]**soeben** [4]**erleuchteten** [2]**Straßenlaternen.** Use a relative clause with a passive verb.
14. **Du, Komparativ.** Say, **Komparativ.**
15. **raufführen** (= **heraufführen**), where we would expect **hinaufführen.**

Nur ein paarmal habe ich einen Hund bellen hören.[16] Ja, jetzt fällt mir ein, der bellte auch, als der Herr klingelte."

„Die ‚Bundesfahne' mal herhören!"[17] sagte da Peter. „Ihr drei werdet euch jetzt auf leisen Sohlen in den Garten auf die Rückseite des Hauses schleichen und die etwa vorhandenen Ausgänge[18] beobachten. Macht[19] sich dort jemand auf irgendeine Weise verdächtig, will[19] also dort jemand heimlich das Haus verlassen, dann ..." — Peter kramte in seinen Taschen und holte ein blinkendes Etwas heraus — „dann habt ihr hier ..." — und er gab dem schwarzen Jürgen das blinkende Ding — „eine Signalpfeife. Wenn ihr damit dreimal hintereinander pfeift, dann bedeutet das für uns andere:[20] da will einer fliehen. Dann läßt du, Horst, sofort den Motor des Wagens an, in dem du mit den beiden Mädels, Gisa und Bärbel, hier wartest. Denn ich werde jetzt mit dem Komparativ und Schnock an den Eingang gehen und auf die Klingel drükken. Dann werden wir ja weiter sehen. Ich selber glaube nicht daran, daß[21] hier eine Räuberhöhle in der Villa verborgen ist, aber ein wenig sonderbar kommt mir das Haus ja doch vor. Auf keinen Fall spielen wir hier aber *Emil und die Detektive,* wenn es nicht unbedingt nötig ist, und die Polizei wird nur dann verständigt, wenn ich es sage!"[22]

16. **habe . . . bellen hören.** Use the simple past tense with a dependent infinitive ("bark") in English.
17. **Herhören!** Note the use of the infinitive instead of the imperative here.
18. **die etwa vorhandenen Ausgänge,** any exits there may be.
19. **macht . . . , will . . . Wenn** is implied at the beginning of each clause.
20. **für uns andere,** for the rest of us.
21. **daran, daß.** English does not permit an anticipatory element here.
22. **Die Polizei wird nur dann verständigt, wenn ich es sage! wird . . . verständigt,** present tense passive with future force. **Dann** anticipates **wenn. es,** "so."

In der Runde der Nachbarn herrschte jetzt doch eine etwas gedrückte Stimmung. Nur die drei Jötter waren über ihren Auftrag ganz begeistert und schlichen sich — schwarz-rot-goldblond — einer nach dem andern wie die Indianer in den dunklen Garten.

Peter wartete noch einen Augenblick, ob[23] die drei Jötter vielleicht irgendetwas Bemerkenswertes entdeckt haben mochten,[24] dann winkte er mit einer leichten Kopfbewegung dem langen Komparativ und dem kleinen Schnock, und dann gingen sie zu dritt, ein klein wenig zögernd, auf die Seitenwand des Hauses zu, an der sich die Eingangstreppe befand.

23. **wartete . . . , ob,** waited . . . to see whether.
24. **entdeckt haben mochten,** might have discovered.

Hinter den Bäumen des Gartens kam jetzt wie ein riesiger gelber Ballon der Mond zum Vorschein, so[25] als ob er auch mit von der Partie sein wollte, neugierig wie er ja ist.

Horst, der es nicht in seinem Wagen ausgehalten hatte, war an die Gartenpforte getreten, hinter der soeben Peter und seine beiden Begleiter verschwunden waren. Die Straße war menschenleer, und man hörte nur in der Ferne das Hupen einiger Autos, ein Zeichen dafür, daß[26] man doch nicht ganz einsam und verlassen hier draußen war. Im Schein der Straßenlaterne konnte man gerade noch erkennen, daß Peter und seine Freunde vor der Eingangspforte standen. Jetzt hörte man ein schwaches Klingelzeichen, danach das kurze Aufbellen eines Hundes. Dann rührte sich eine Weile lang nichts. Nochmals ertönte das Klingeln. Der Hund aber bellte nicht mehr. Die Haustür mußte sich jetzt geöffnet haben, denn ein Lichtstrahl fiel auf die drei Nachbarn.

Plötzlich stand in diesem Lichtschein eine hellgekleidete Frauensperson. Horst sah, wie Peter einen Schritt zurücktrat, und dann tönte für alle wahrnehmbar[27] aus Peters Mund ein Überraschungsschrei: „Sie ... Sie ... Sie sind das?[28] Sie sind Fräulein von Klinken?“

„Ja, was ist denn dabei, ich bin es, und wer sind Sie eigentlich, wollen Sie sich nicht vorstellen?“

„Ich bin Peter Zimmermann ...“

„... der hoffentlich jetzt alle seine Tassen wieder im Schrank hat. Sie kommen[29] wegen der dreißig Pfennig, die ich Ihnen noch schulde, nicht wahr, Herr Groschenbettler?“ Und als Peter noch immer vor Staunen verstummt

25. **So** simply anticipates **als ob.**
26. **dafür, daß.** Can we anticipate English “that”?
27. **für alle wahrnehmbar,** audible to everybody.
28. **Sie sind das?** It's you?
29. **Sie kommen.** English requires the present perfect tense here.

dastand, fügte sie hinzu: „Bitte treten Sie doch näher! Ich habe Ihr Buch mit dem großen Los schon zurechtgelegt. Ich konnte mir schon denken,[30] daß Sie bald kommen würden, um alles abzuholen. Der eine Ihrer Freunde hat
5 mich ja so auffällig beschattet, daß ich sofort Bescheid wußte, und der andere hier . . ." — damit zeigte sie auf Schnock — „hat ja in der S-Bahn schon vergebliche Annäherungsversuche gemacht. Außerdem weiß ich bereits von Herrn Globke, wer Sie sind. Aber meine Herren, ste-
10 hen Sie doch nicht da wie die Ölgötzen! Kommen Sie doch bitte herein! Ich bin doch kein Menschenfresser!"

30. **Ich konnte mir schon denken.** I knew all right.

Die drei Nachbarn wollten gerade dieser Aufforderung nachkommen, als vom Garten her ein durchdringender Pfiff ertönte, noch einer danach und noch einer. Sofort stürzten sich der Komparativ und Schnock in den Garten, nur Peter blieb zurück. 5

„Warum rennen denn Ihre Freunde plötzlich auf und davon? Und was war denn[31] das für ein Pfiff, klingt ja[32] wie ein organisierter Überfall!"

„Ach, die glauben alle, ich sei hier in eine Räuberhöhle geraten,[33] und wahrscheinlich haben die in Ihrem Garten 10 irgendetwas Verdächtiges gehört."

Fräulein von Klinken schüttelte nur den Kopf und sagte lachend: „Ich vermute, bei Ihnen fehlt tatsächlich eine Tasse im Schrank!"[34]

Ehe noch Peter antworten konnte, wurden sie vom 15 lauten Geschimpfe einer Männerstimme unterbrochen: „Lassen Sie mich gefälligst los, oder ich lasse sofort die Polizei rufen. Gerda, rufe das Überfallkommando an! Hier sind Räuber und Diebe im Garten!"

Peter und die junge Dame rannten in den Garten. Da 20 kam ihnen schon ein wildes Menschenknäuel entgegen. Mitten in dem Knäuel befand sich ein Mann, der sich vergeblich dagegen wehrte, daß man ihn festhielt.[35] Die drei Jötter, besonders Jürgen und Jonny, hielten ihn mit eisernem Polizeigriff. 25

„Das wird Ihnen teuer zu stehen kommen, meine Herren!" rief der Festgehaltene jetzt laut. „Und du stehst da und lachst!" sagte er vorwurfsvoll zu Gerda von

31. **denn,** emphatic (not to be translated).
32. **klingt ja . . .** Supply the subject **es.**
33. **Ich sei . . . geraten.** The subjunctive is used here to express unreality.
34. **Bei Ihnen fehlt tatsächlich eine Tasse im Schrank!** You're really not all there mentally.
35. **der sich vergeblich dagegen wehrte, daß man ihn festhielt,** who was objecting in vain to their holding on to him; i.e., was resisting in vain.

Klinken, die tatsächlich unter der Eingangslampe des Hauses stand und sich vor Lachen bog.

Neben ihr stand Peter. Aber der lachte nicht. Wenn er gekonnt hätte,[36] wäre er am liebsten in den Erdboden 5 versunken.[36] Denn der Mann, den da seine Freunde gewaltsam herbeischleppten, war kein anderer als sein Klassenlehrer, Studienrat Dr. Piepenbrink.

„Piepe!" Das war alles, was Peter in seinem ersten Schreck herausbrachte.[37]

10 „Aha!" schrie daraufhin der gefesselte Studienrat, „Einer meiner Schüler. Na, das wird ja immer toller!"

36. **gekonnt hätte, wäre . . . versunken.** What do these past perfect subjunctive forms become in an English contrary-to-fact conditional sentence in past time?

37. **herausbrachte,** could say.

„Laßt ihn sofort los!" schrie da Peter aus Leibeskräften. „Das ist doch mein Klassenlehrer, Dr. Piepenbrink!" Die drei Jötter gehorchten sofort. „Wir dachten, er sei[38] der Chef der Bande und wollte fliehen", verteidigten sie sich.

„Wollen Sie mir bitte erklären, was dieser Überfall auf mich zu bedeuten hat, Zimmermann?" Dr. Piepenbrink ging in großer Erregung auf Peter zu.

„Ich wußte ja gar nicht, daß Sie hier in dieser Räuberhöh . . ."[39]

„Sind Sie denn von Sinnen, Zimmermann?" schrie da Piepe, daß es durch den ganzen Garten hallte.[40] „Sie nennen das Haus meiner Braut eine ‚Räuberhöhle'? Kommen Sie jetzt sofort mit hinein! Ich werde die Polizei anrufen, wenn Sie mir nicht alle sofort freiwillig Ihre Personalien geben. Ja, was[41] stehst du denn immer noch da und lachst, Gerda? Das ist hier kein Spaß. Das ist ein organisierter Überfall! Ich saß mit deiner Mutter im Wohnzimmer, da hörte ich draußen im Garten ein verdächtiges Flüstern und Gelaufe. Wie ich durch die Verandatür in den Garten komme, um vorsichtig nachzuforschen, was da los sein könnte,[42] werde ich doch hier von diesen drei Burschen überfallen,[43] nachher kommen noch zwei dazu, und wie ich hier an das Haus geschleppt werde,[43] stehst du da und lachst, und einer meiner Obersekundaner nennt deine Villa eine Räuberhöhle."

„Verzeihen Sie, Herr Doktor", fiel da Peter ein, der endlich seine Sprache wiedererlangt hatte, „ich kann Ihnen das alles auf die natürlichste Weise erklären, wenn

38. **sei,** subjunctive of unreality.
39. **in dieser Räuberhöh(le wohnen).**
40. **schrie da Piepe, daß es durch den ganzen Garten hallte.** Piepe shouted so loudly that his words resounded throughout the garden.
41. **was,** colloquial for **warum.**
42. **könnte, wollten,** imperfect subjunctive forms.
43. **werde . . . überfallen, geschleppt werde.** Which of the three uses of **werden** is involved here?

Sie mir nur eine Gelegenheit dazu geben wollten.[42] Dürfen wir das im Hause tun?"

„Aber selbstverständlich", sagte da Fräulein Gerda und fügte hinzu, „bitte treten Sie näher, meine Herren . . . ach, da sind ja auch Damen dabei, nun selbstverständlich auch Sie, meine Damen", wandte sich Fräulein von Klinken jetzt an die beiden Mädchen, die zusammen mit Horst inzwischen dazugekommen waren.

„Ich habe euch doch ausdrücklich gesagt, wir spielen hier nicht *Emil und die Detektive,* nicht wahr?" flüsterte Peter den drei Jöttern zu, während sie alle zusammen ins Haus hineingingen. „Jetzt habt ihr mich ja in eine verflixte Situation gebracht! Nichts als Pech habe ich heute, sogar mit euch, die ihr[44] mir helfen wolltet!" Peter war verzweifelt.

„Und das nennen Sie Pech", sagte Fräulein von Klinken, „daß ich Ihre *‚Fliegende Untertasse'* und Ihr großes Los . . ."

„Geklaut habe, sagen Sie's nur ehrlich!" schrie da plötzlich der kleine Schnock voller Wut, der immer noch nicht begriffen hatte, was los war.

„Wollen Sie etwa sagen, daß meine Braut eine Diebin sei?"[45] fuhr ihn Dr. Piepenbrink an.

„Das stimmt allerdings, lieber Ernst", gestand Fräulein Gerda, als sie nun[46] mittlerweile durch die große Diele in einen Raum gekommen waren, der mit riesigen Bücherregalen angefüllt war und offenbar ein wissenschaftliches Arbeitszimmer darstellte.

„Ja, das stimmt", wiederholte sie dort.

„Und ‚Polente' hat sie gesagt und sich überhaupt so[47]

44. **die ihr,** who. **Ihr** has been added to the relative pronoun because the antecedent (**euch**) is a pronoun of the second person.
45. **sei,** subjunctive of unreality.
46. **als . . . nun,** after.
47. **So** anticipates **wie.**

ausgedrückt wie eine Gangsterbraut", fiel ihr jetzt wieder Schnock anklagend ins Wort.

„Ruhig, Ernst!" Fräulein Gerda gab Piepe einen Wink. „Rege dich nicht auf, du wirst gleich erfahren, was los ist. Und Sie, junger Mann . . ." — und damit wandte sie sich an Schnock — „haben sich auch nicht gerade in der feinsten Tonart ausgedrückt. Wollen Sie hören, was Sie gesagt haben? Bitteschön![48] Ich habe hier . . ." Sie drehte an dem Knopf eines Tonbandgeräts, das auf ihrem Arbeitstisch stand, und während sie schnell und gewandt alle Anwesenden auf die zahlreichen Stühle der riesigen Bibliothek verteilte, hörte man:

48. **Bitteschön!** Please permit me. **Bitteschön** (likewise **dankeschön**) is usually written as two words.

„Mensch, da bleibt einem ja die Spucke weg! Hast du Worte? Vornehm wie eine Puppe aus'm Schaufenster, und dann klaut sie und macht lange Finger! Sie haben sich fremdes Gut angeeignet, Fräulein. Wissen Sie, was das ist: das ist Fundunterschlagung. Das kann Sie drei Monate kosten." — „Na, sagen wir: acht Tage! Aber nun halten Sie mal schleunigst die Luft an, junger Mann, und werden Sie hier nicht pampig! Sonst könnte es Ihnen passieren, daß Ihre Braut Sie am nächsten Sonntag im Krankenhaus besuchen muß! . . . Und wenn Sie nun noch nicht Ihre Klappe halten, rufe ich die Polente!"

„Ha, ‚Polente' hat sie gesagt! Hab' ich dir das nicht gleich erzählt?" rief da der kleine Schnock triumphierend.

„Aber Gerda", sagte da Dr. Piepenbrink, „hast du schon wieder einmal . . ."

„Ja, lieber Ernst, ich habe schon wieder einmal!"

Verständnislos sahen sich[49] die Nachbarn an. „Ja, aber das war doch Schnocks Stimme in der Stadtbahn!"[50] unterbrach Gisa die Auseinandersetzung der Brautleute.

„Stimmt",[51] erklärte jetzt Fräulein von Klinken. „Die habe ich hier mit diesem Mikrofon eingefangen", und sie zeigte eine kleine Armbanduhr im Kreise herum, die als Mikrofon für ein Tonbandgerät diente. „Ich darf Ihnen nämlich berichten,[52] meine Herrschaften, daß ich Germanistik studiere und zur Zeit meine Doktorarbeit über das Thema *Der Satzakzent der Berliner Mundart* mache, eine phonetisch-germanistische Arbeit. Und dazu brauche ich viele anschauliche Beispiele, Aufnahmen aus dem täglichen Leben, aber nicht in ‚gestellter' Situation oder gar

49. **Sich** is the equivalent of **einander** here.
50. **Ja, aber das war doch Schnocks Stimme in der Stadtbahn!** Why that was really Schnock's voice on the city train, wasn't it?
51. **(Das) stimmt.**
52. **Ich darf Ihnen nämlich berichten.** You see, I ought to tell you.

nach einem Manuskript. Ich brauche Berliner Redensarten, wie sie dem ‚Volke aus dem Maul' kommen[53] — wie es Martin Luther einmal formuliert hat[54] — Schimpfwörter, Freudenausbrüche, direkt aus dem Herzen, keine ‚frisierte Schnauze', wie wir Berliner sagen. Und da habe ich mir hier ein Spezialtonbandgerät konstruieren lassen[55] mit diesem kleinen als Armbanduhr getarnten Mikrofon[56] und einem Batterie-Aufnahmegerät, das ich hier in dieser Handtasche zu tragen pflege mit einem kleinen fast unsichtbaren Kabel, das von der Armbanduhr in die Handtasche geht. Und dann setze ich mich in die

53. **wie sie dem „Volke aus dem Maul" kommen,** such as common people use.
54. **wie es Martin Luther einmal formuliert hat.** In his ***Sendbrief vom Dolmetschen (Open Letter on Translation)*** of 1530 Martin Luther wrote: **„Denn man muß nicht die Buchstaben in der lateinischen Sprache fragen, wie man soll Deutsch reden, sondern man muß die Mutter im Hause, die Kinder auf der Gasse, den gemeinen Mann auf dem Markt drum fragen, und denselbigen auf das Maul sehen, wie sie reden, und darnach dolmetschen."** Try to arrive at the sense of this passage by reading it several times. The key words are: **„Man muß denselbigen auf das Maul sehen, wie sie reden, und darnach dolmetschen."** "We must observe such people as they speak and translate accordingly."
55. **habe . . . konstruieren lassen. Lassen** is a causative verb here. Beware of the "double infinitive."
56. **¹diesem ²kleinen ⁵als ⁶Armbanduhr ⁴getarnten ³Mikrofon.** Treat the elements in the order indicated.

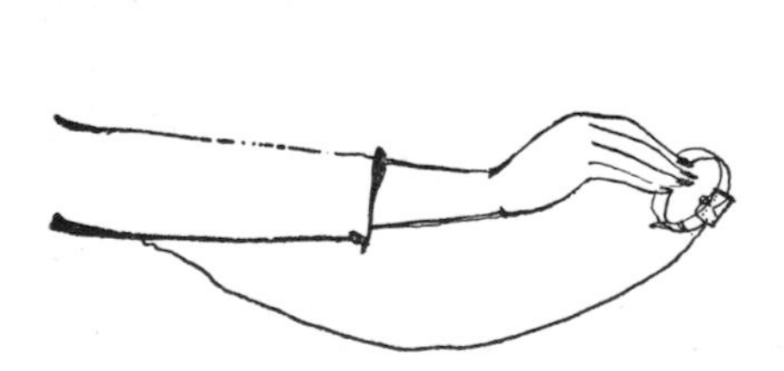

Stadtbahn, meistens Raucher, denn da sitzen die Gestalter der saftigsten Flüche, Schimpfwörter, aber auch die echten Berliner mit Mutterwitz und dem Mund auf dem rechten Fleck. Ja, und da sitze ich also, oder ich stehe auch,[57] 5 manchmal im Gedränge — für die Wissenschaft muß man eben mal ein Opfer bringen — und provoziere."

„Was tun Sie?" fragte die neugierige Gisa.

„Ich provoziere, ich fordere heraus! Das heißt nur dann, wenn[58] ich keine Leute vor meinem Mikrofon habe, die 10 von sich aus so reden, wie[58] ihnen der Schnabel gewachsen ist, ja, dann provoziere ich sie. Als ich heute nachmittag merkte, daß dieser junge Mann . . ." — Fräulein von Klinken zeigte auf Schnock — „bereit war, ein williges Opfer meiner Absichten zu werden, habe ich ihn durch kesse 15 Berliner Redensarten — ja natürlich, Ernst, ich weiß, du siehst das nicht gern und hörst es erst recht nicht gern[59] — herausgefordert, provoziert. Dafür hat er mir ja auch einige Glanzstücke für meine Sammlung geliefert, das muß ich anerkennen."

20 „Darf ich Sie darauf aufmerksam machen", fiel ihr da der Rechtsanwaltssohn Komparativ ins Wort, „daß[58] jeder Mensch ein Recht auf seine Stimme hat, die Sie nicht einfach ohne Erlaubnis der Sprechenden verwenden dürfen?"

„Na, die werde ich doch von Ihnen sicher erhalten, 25 zumal ich Ihrem Freunde Zimmermann das große Los gerettet habe, nicht wahr?"

„Ja, aber woher[60] wußten Sie denn das nur?" wollte jetzt Gisa wissen.

„Darüber wird Ihnen Herr Zimmermann am allerbesten

57. **oder . . . auch,** or else.
58. **dann, wenn; so . . . , wie; darauf . . . , daß.** What is the function of the first element of all three constructions?
59. **Du siehst das nicht gern und hörst es erst recht nicht gern.** You don't like to see me in action and are even less pleased to hear my account.
60. **woher,** how.

selber Auskunft geben können,[61] nicht wahr, Herr Zellengenosse?"

„Wieso ‚Zellengenosse'?" fragte Schnock. „Haben Sie etwa zusammen in Moabit[62] gesessen?"

Alle lachten. 5

„Nein", sagte Peter, „in diesem Falle ist die Telefonzelle gemeint. Kann ich die Geschichte erzählen, oder haben Sie etwa die auch aufs Band genommen?"

„Aber selbstverständlich, Herr Peter. Wollen Sie's[63] hören, wie Sie mir meine beiden Groschen am Freitag, 10 dem 13.,[64] abgebettelt haben?"

„Au ja, bitte, bitte", riefen da alle. Und Fräulein von Klinken spielte jetzt den Dialog vor, den sie und Peter vor der Telefonzelle miteinander geführt hatten.

„Und jetzt wird Ihnen wohl auch klar sein, daß[65] mir 15 sofort ein Licht aufging, als ich *Die Fliegende Untertasse* da plötzlich gefunden hatte und obendrein das Los der Lotterie, die heute gezogen wurde. Ich spiele nämlich auch zusammen mit Ernst — wie[66] nennt man dich, mein Lieber, in der Schule? — ach bitte, Herr Peter, wie- 20 derholen Sie's!"

Peter wurde sehr rot und sagte leise und schuldbewußt: „Piepe . . . aber das sagen wir nur, weil wir ihn alle sehr gern haben, das ist gar kein Spitzname . . . "

„Das ist ein Kosename meiner Herren Schüler, aha!" 25

61. **Darüber wird Ihnen Herr Zimmermann am allerbesten selber Auskunft geben können.** Mr. Zimmermann himself is probably best qualified to give you information on that score.
62. Find **Moabit** on the map of Berlin. Criminal cases are tried in the court located there, and the criminals are accommodated in the local prison.
63. **Sie's. Es** anticipates **wie.**
64. **dem 13.** Read **dem dreizehnten.**
65. **Und jetzt wird Ihnen wohl auch klar sein, daß . . .** And now it's probably clear to you also that . . .
66. **wie,** what.

sagte Dr. Piepenbrink, lächelte aber schon wieder ein bißchen.

„Ja, ich spiele also auch mit Piepe zusammen Lotterie, aber bis zum großen Los haben wir's noch nicht 5 gebracht. Und als ich nach Hause kam, habe ich dann gleich Herrn Globke angerufen, da ja noch der Kassenzettel im Umschlag lag, und habe ihn gefragt, ob er zufällig den Käufer der *Fliegenden Untertasse* kenne.[67] Herr Globke war sofort im Bilde und gab mir Ihre Adresse. 10 Und wenn Sie mir nicht die große Ehre erwiesen hätten,[68] mich hier gleich mit — wieviel sind es? — na also: mit acht Ihrer Freunde zu besuchen . . ."

„. . . dann wäre die Gangsterbraut eben zu mir gekommen",[68] ergänzte Peter lachend.

15 „Ich darf doch wohl bitten, Zimmermann,[69] daß Sie sich mindestens in meiner Gegenwart einer etwas anständigeren Ausdrucksweise bedienen. Schließlich bin ich kein Bandenchef und Fräulein von Klinken ist . . ."

„. . . immerhin deine Braut." Damit legte sie ihre 20 Hand auf seinen Mund und hängte sich in seinen Arm. „Also, Kinder, versöhnt euch um meinetwillen![70] Denn euch beiden verdanke ich sehr viel in dieser Sache: Ihnen, Peter Zimmermann, und Ihren Freunden eine Reihe von wunderbaren Probestücken für meine Doktorarbeit, ihm 25 aber, ich meine Ihren Klassenlehrer ‚Piepe', verdanke ich die Anregung zu dieser wissenschaftlichen Arbeit überhaupt, und ich werde ihm wohl noch öfter[71] alle die Bei-

67. **kenne,** subjunctive of indirect discourse.
68. **erwiesen hätten, wäre . . . gekommen.** The second of these two past perfect subjunctive forms becomes a perfect conditional form in English.
69. **Ich darf doch wohl bitten, Zimmermann . . . ,** Really, Zimmermann, I'm probably entitled to ask . . .
70. **um meinetwillen.** The **er** of a personal pronoun in the genitive with **wegen** and **um . . . willen** becomes **et.** Compare **meinetwegen.**
71. **noch öfter,** quite often.

spiele, die ich durch Sie geliefert bekam,[72] vorspielen müssen."

„Das kostet aber eine Kleinigkeit", meinte darauf Schnock grinsend.

„Selbstverständlich sollen Sie meine Gäste sein, wenn ich die Arbeit beendet habe und zum Doktor promoviert bin."[73]

„Provoziert!" verbesserte Schnock.

„Zwei zu eins für Schnock", stellte Gisa sachlich fest.

„Nun weiß ich auch", schloß Peter die Unterhaltung ab, bevor sie sich von Fräulein Gerda und Dr. Piepenbrink verabschiedeten, „über welches Buch ich meinen Aufsatz schreiben werde, wenn wir noch einmal das Thema ‚Mein Lieblingsbuch' gestellt bekommen."[74]

„Und das wäre,[75] Zimmermann?" fragte Piepe neugierig.

„Das Buch über den *Satzakzent der Berliner Mundart!*"

Da aber brach es aus Fräulein von Klinken heraus:

„Sie haben wohl nicht alle Tassen im Schrank, junger Mann!"

72. **die ich durch Sie geliefert bekam,** which I received from you, with which you supplied me.
73. **wenn ich zum Doktor promoviert (worden) bin,** when I have received my Ph.D.
74. **gestellt bekommen,** receive as an assignment.
75. **wäre** (imperfect subjunctive). Use the present conditional in English.

8 *Und ein vergnügtes Schlußkapitel*

Nach einem etwas unruhigen Nachmittag voller Angst und Sorge um ihren Peter und das große Los stand die Witwe Zimmermann schon am Fenster ihrer Wohnung im Gartenhaus der Muthesiusstraße,[1] als ihr Junge abends gegen neun Uhr endlich nach Hause kam. Peter rief schon vom Hinterhof zu ihr hinauf, als er ihre Silhouette

1. **Muthesiusstraße.** Refer to the map of Berlin.

im Seitenfenster des Balkonzimmers entdeckte: „Mutti, wir haben es, est ist da!" Daß dieses „Es" das große Los war, wollte er doch nicht gern vor allen Mietern des Vorder- und Hinterhauses hinausposaunen.

Dann rannte er die drei Treppen zu ihrer Wohnung hinauf, und oben fiel ihm schon auf dem Treppenabsatz die vor Freude weinende Mutter[2] um den Hals. „Ach, Junge, was bin ich doch glücklich, daß du wieder da bist![3] Wo seid ihr denn bloß geblieben, den ganzen Tag, du und das Los?"

Und Peter mußte erzählen und immer wieder erzählen, während er seine Abendbrotstullen aß. Und als er geendet hatte, sagte Frau Zimmermann: „Und von meiner Loshälfte, Junge, kannst du nun Medizin studieren! Das habe ich mir heute nachmittag, wie ich ganz allein hier warten mußte, so ausgedacht!"[4]

„Und weißt du, was ich mir ausgedacht habe?" fragte Peter und fuhr fort, ohne die Antwort abzuwarten: „Du sollst von meiner Hälfte jeden Sommer zur Erholung ins Gebirge reisen oder an die See, wohin du willst."[5]

„Und von meiner Hälfte bekommst du den Motorroller, den du dir schon so lange gewünscht hast, oder willst du lieber[6] für dich und deine Nachbarn einen kleinen Kombiwagen, damit ihr nicht immer anderer Leute Autos stehlen müßt?"

„Au prima, Mutti, daß du daran gedacht hast,[7] aber dafür sollst du von meiner Hälfte jetzt immer zu Hause

2. [1]**die** [4]**vor** [5]**Freude** [3]**weinende** [2]**Mutter.** Treat the elements in the order indicated. Use a possessive adjective in English as the first element.
3. **Was bin ich doch glücklich, daß du wieder da bist!** You don't know how glad I am that you're back.
4. **Das habe ich mir . . . so ausgedacht!** That's the way I worked it out (for myself) . . .
5. **wohin du willst,** wherever you want to go.
6. **Oder willst du lieber . . . ?** Or would you prefer . . . ?
7. **Au prima, daß du daran gedacht hast.** It was great of you to think of that.

bleiben dürfen und nicht mehr jeden Tag Zeitung austragen und als Reinmachefrau arbeiten müssen.“ [8]

„Ja, Peter das nehme ich dankbar an, aber ganz ohne Arbeit kann ich nicht leben, und weißt du, was ich mir da gedacht habe? Wir sind doch Ostpreußen, dein gefallener Vater und ich, und wir haben hier in Berlin mit vieler Not und Mühe eine zweite Heimat gefunden. Und da dachte ich mir, ich werde jetzt im Berliner Lager für Ostflüchtlinge ein bißchen mithelfen, die brauchen dort Menschen, die sie verstehen und wissen, wie es einem Flüchtling zumute ist.“ [9]

Und so geschah es: sie halfen sich gegenseitig, jeder mit seiner Hälfte des Losgewinns. Und als Peter dann von seiner Italienfahrt zurückkam, fand er zu seiner Überraschung in seinem Arbeitszimmer alle die Bücher wieder, die er, um dem Freunde zu helfen, an Globke verkauft hatte. „Ich weiß ja sonst nicht, wo ich meine Rechnungen und Lotterielose lassen soll“,[10] sagte Frau Zimmermann und gab ihrem Peter einen Kuß.

Und mit diesem Kuß wäre unsere Geschichte vom Peter, der Pech hatte, eigentlich zu Ende, wenn nicht noch einiges von Herrn Gutsmann und Herrn Dr. med. Springer und von dem neugebackenen Ehepaar Piepenbrink zu berichten wäre.[11]

8. **sollst . . . bleiben dürfen und . . . austragen und . . . arbeiten müssen,** Take **sollst** as the sign of the future tense in English and treat **dürfen** as if it were **können. Müssen** is implied after **austragen.**
9. **wie es einem Flüchtling zumute ist,** how it feels to be a refugee.
10. **sonst . . . , wo ich . . . lassen soll,** where else to put . . .
11. **wäre . . . zu Ende, wenn nicht noch einiges . . . zu berichten wäre,** would be complete if there were not still a few things to report . . .

Natürlich bekam Herr Gutsmann *Die Fliegende Untertasse* zurück, und Peter schenkte ihm obendrein noch[12] das neueste Buch über den geplanten *Raketenflug zum Mars.* Für die hungernde Erdbewohnerin aber, die gewaltige Frau Gutsmann, legte der dankbare Primaner (er 5 war trotz der Fünf in Mathematik versetzt worden[13]) eine große Schachtel feinsten Konfekts bei, so daß sie wieder einmal mit kleinem Seitenblick auf ihren „Männe" feststellte: „Manieren hat er ja, das muß man ja sagen."

Der Volkswagen Horsts wurde natürlich auch sofort 10 repariert,[13] genauer gesagt:[14] der Volkswagen Dr. med.

12. **obendrein noch. Noch** is redundant.
13. **war . . . versetzt worden, wurde . . . repariert.** What are the signs of the past perfect and imperfect passive in English?
14. **genauer gesagt,** more correctly.

Springers, dem übrigens nicht erst nach der Italienfahrt die Wahrheit gesagt zu werden brauchte.[15] Sein Kegelbruder Studienrat Piepenbrink hatte nämlich dem Arzt die ganze Geschichte unter der Bedingung erzählt, daß er seinem Sohne noch einmal verziehe — verziehe um der so guten Kameradschaft der Nachbarn willen[16] — und ihn mit auf Großfahrt nach Italien „trampen" oder „per Anhalter fahren" ließe,[17] wie die Jungs sagten.

„Einen knorken und pfundigen Klassenpauker hast du aber doch", meinte Horst, als er mit Peter und den andern Nachbarn im Kolosseum in Rom saß, „und jetzt schreiben wir[18] ihm eine Ansichtskarte!"

Im Herbst wurden dann alle Nachbarn von Dr. Ernst und Dr. Gerda Piepenbrink zur Feier der Doktorpromotion (Schnock sagte natürlich „Doktorprovokation") in die „Gangstervilla" nach Lichterfelde-West eingeladen, und es gab ein großes Gartenfest mit Sang und Tanz und mit Lampions und italienischer Nacht,[19] und die frischgebackene Frau Doktor führte die schönsten Bandaufnahmen aus der Stadtbahn vor. Und bei der Gelegenheit sahen auch die Nachbarn ihr Hochzeitsgeschenk wieder, das sie selber gezimmert hatten: einen kleinen vitrinenartigen Schrank, für den Peter und seine Mutter ein wertvolles altes Service der Kgl.[20] Preußischen Porzellanmanufaktur gestiftet hatten, ein Mockatassen-Service.

15. **dem übrigens nicht erst nach der Italienfahrt die Wahrheit gesagt zu werden brauchte,** to whom, by the way, the truth could be told even before the trip to Italy.
16. [1]**um** [3]**der** [4]**so** [5]**guten** [6]**Kameradschaft** [7]**der** [8]**Nachbarn** [2]**willen. um . . . willen,** because of; **der so guten Kameradschaft,** the very fine friendship.
17. **unter der Bedingung . . . , daß er . . . verziehe . . . und . . . ließe,** with the stipulation that he would forgive . . . and let . . .
18. **Schreiben wir!** This present subjunctive form is the equivalent of an English "let's" form.
19. **und italienischer Nacht,** redundant.
20. **Kgl.** Read **Königlich.**

Oben auf dem Schrank stand das Modell einer fliegenden Untertasse. Darauf war in feinster Schrift, von Bärbel eigenbrannt, zu lesen:[21]

> Peters und der Nachbarn Dank[22]
> Sind die Tassen und der Schrank!
> Bitte täglich sie zu zählen![23]
> Sollte[24] aber eine fehlen:
>
> NICHT VERZAGEN —
> NACHBARN FRAGEN!

21. **war . . . zu lesen,** could be read.
22. This verse form, more popular than the unrhymed hexameters of the fifth chapter, is called **Knittelvers** in German, "doggerel" in English. Can you point out the four stressed syllables of each line? Note the end rhyme.
23. **Bitte . . . zu zählen!** has imperative force with the accusative of the person asked **(Sie)** implied.
24. **sollte,** should. **Wenn** is implied at the beginning of the clause.

Exercises

1. *Ein Unglück kommt selten allein.*

Exercise A: Questions

Answer each question with a complete German sentence.

1. Welcher Schüler soll sich nach vorne auf die erste Bank setzen? 2. Was für einen Aufsatz schreibt die Klasse heute? 3. In welcher Jugendgruppe ist Peter Mitglied? 4. Nennen Sie das Losungswort der Nachbarn! 5. Was überlegt Peter, während seine Klassenkameraden einen Aufsatz schreiben? 6. Mit wessen Volkswagen fuhren die Nachbarn die Kartoffeln nach Schmargendorf? 7. Wo sollte der Volkswagen während der Abwesenheit von Horsts Eltern bleiben? 8. Warum mußte Horst den Wagen noch rechtzeitig auf die linke Straßenseite herumreißen? 9. Woher soll man das Geld für die Reparatur des Volkswagens nehmen? 10. Nennen Sie Peters Lieblingsbuch!

Exercise B: True and False Statements

If the statement is correct as it now stands, you are to say **richtig** *and repeat the statement "as is" in German. If the statement is incorrect, say* **falsch** *and correct the statement before giving it in German.*

1. Man darf bei einer Klassenarbeit sprechen. 2. Dr. Piepenbrink kommt gewöhnlich mit guter Laune in die Klasse. 3. Die Nachbarn haben sich keinen guten Namen gemacht. 4. Der Gruß der Nachbarn ist NW—NF. 5. Horst hat seinen Führerschein schon gemacht. 6. Horst riß den Wagen noch rechtzeitig auf die linke Straßenseite herum. 7. Der Volkswagen muß sofort repariert werden. 8. Dr. Springer ist Professor von Beruf. 9. Peter wird im Deutschen wohl eine Eins bekommen. 10. Die Nachbarn wollen während der Sommerferien nach Italien reisen.

Exercise C: Vocabulary Matching

Find the item in the second column that corresponds in meaning to a given item in the first column.

____ 1. mit jemandem Pferde stehlen können	a. die Idee
____ 2. obendrein	b. aus guter Familie stammen
____ 3. die Ahnung	c. jemanden zu allem bewegen können
____ 4. überlegen	d. die Ursache
____ 5. anrufen	e. noch im letzten Augenblick
____ 6. der Grund	f. etwas nicht so genau nehmen
____ 7. noch rechtzeitig	g. die Ahnfrau
____ 8. nicht von schlechten Eltern sein	h. im Vorübergehen
____ 9. nebenbei	i. erstklassig sein
____10. gerne fünfe gerade sein lassen	j. telefonieren
	k. außerdem
	l. nachdenken

Exercise D: Conversation and Composition

Using the vocabulary of the text, base a conversation on the first and write a composition on the second of the following two topics:

1. Gespräch zwischen Peter und Horst, gerade nachdem der Autounfall passiert ist.

2. Aufsatz über das Thema „Was einem beim Aufsatzschreiben alles einfällt".

2. *Wo ist das Lotterielos?*

Exercise A: Questions

Answer each question with a complete German sentence.

1. Wann ist die Schule aus? 2. Wo sollen alle Nachbarn heute nachmittag um drei Uhr sein? 3. Wie will Peter zur Autoreparatur beitragen? 4. Wohin radelt Peter mit den zusammengepackten Büchern? 5. Für welche Bände bekommt Peter eine große Summe? 6. Was muß Peter wegen der Steuer unterschreiben? 7. Kann Peters Mutter das Lot-

terielos finden? 8. Woher weiß Peters Mutter, daß sie das große Los gewonnen hat? 9. In welches Buch hat die Mutter das Los gesteckt? 10. Was muß Peter sofort?

Exercise B: True and False Statements

If the statement is correct as it now stands, you are to say **richtig** *and repeat the statement "as is" in German. If the statement is incorrect, say* **falsch** *and correct the statement before giving it in German.*

1. Heute lautet der Rundruf: „Alle Nachbarn um drei Uhr zu Peter!" 2. Zur Verwunderung seiner Mutter schenkt Peter dem Mittagessen keine große Aufmerksamkeit. 3. Peter setzt große finanzielle Hoffnungen auf *Die Fliegende Untertasse.* 4. Peter fährt mit der Straßenbahn zu Globke. 5. Je lauter der Knall, desto größer die Summe — stellt Peter zu seinem Vergnügen fest. 6. Herr Globke gibt Peter einen Scheck für dessen Bücher. 7. Als Peter in die Küche kommt, schläft seine Mutter am Tisch. 8. Die Gewinnummer des großen Loses lautet 2552. 9. Peters Mutter hat das Los in *Die Fliegende Untertasse* gesteckt. 10. Die Mutter fragt Peter, warum er seine Bücher verkauft hat.

Exercise C: Vocabulary Matching

Find the item in the second column that corresponds in meaning to a given item in the first column.

____ 1. weh tun	a. fast
____ 2. erst recht nicht	b. hinauseilen
____ 3. sanft	c. leise
____ 4. beinahe	d. schließlich
____ 5. das Abendland	e. die Traurigkeit
____ 6. die Betrübnis	f. werden
____ 7. davonstürmen	g. erhalten
____ 8. endgültig	h. desto weniger
____ 9. bekommen	i. die Fragmente
____10. die Trümmer	j. der Westen
	k. die Nacht
	l. schmerzlich sein

Exercise D: Conversation and Composition

Using the vocabulary of the text, base a conversation on the first and write a composition on the second of the following two topics:

1. Gespräch zwischen Peter und seiner Mutter über das große Los.
2. Aufsatz über das Thema „Woher nimmt man das Geld für die Reparatur des Volkswagens?“.

3. *Die Jagd nach dem Glück.*

Exercise A: Questions

Answer each question with a complete German sentence.

1. Welche Frage stellt Peter an den alten Globke, als er in den Laden stürzt? 2. Wie antwortet Herr Globke auf diese Frage? 3. Was sagt der „lesende Philosoph“ zum großen Los in der *Fliegenden Untertasse?* 4. Warum hat der Käufer der *Fliegenden Untertasse* kein Telefon? 5. Um wieviel Uhr verläßt Peter den Laden? 6. Was murmelt Peter vor der Telefonzelle laut vor sich hin? 7. Von wem bekommt Peter die nötigen zwei Telefongroschen? 8. Mit welchen Worten geht die junge Dame davon? 9. Wann soll Peter jetzt zu Horst kommen? 10. Wie lautet der Schluß des Telefongesprächs mit Horst?

Exercise B: True and False Statements

If the statement is correct as it now stands, you are to say **richtig** *and repeat the statement "as is" in German. If the statement is incorrect, say* **falsch** *and correct the statement before giving it in German.*

1. Peter geht langsam in den Laden und sagt höflich: „Guten Tag, Herr Globke!“ 2. Herr Globke meint: „Sie haben Glück, Herr Zimmermann. Ich habe *Die Fliegende Untertasse* noch nicht weiterverkauft.“ 3. Der Käufer der *Fliegenden Untertasse* fährt immer mit der Stadtbahn. 4.

Peter schreibt die Adresse des Käufers auf. 5. Bevor Peter Globkes Laden verläßt, telefoniert er mit Horst. 6. Von der jungen Dame erfährt Peter, daß heute Freitag der 13. ist. 7. Peter soll den Fünfziger wechseln, während die junge Dame telefoniert. 8. Die junge Dame denkt bei sich: „Wenn ein junger Mann heutzutage mal ein bißchen nett und liebenswürdig ist, dann ist er eben verrückt.“ 9. Es wird der jungen Dame zu bunt, als Peter eifrig versichert: „Das große Los liegt ganz sicher in der *Fliegenden Untertasse.*“ 10. Nachdem Peter eingehängt hat, kriegt er seine dreißig Pfennig von der jungen Dame zurück.

Exercise C: Vocabulary Matching

Find the item in the second column that corresponds in meaning to a given item in the first column.

____ 1. die Kundschaft	a. unterbrechen
____ 2. einwerfen	b. nämlich
____ 3. wahrscheinlich	c. nur
____ 4. begreifen	d. die Käufer
____ 5. und zwar	e. bekommen
____ 6. das Pech	f. verstehen
____ 7. bloß	g. der Verfall
____ 8. kriegen	h. einrichten
____ 9. in Ordnung bringen	i. das Unglück
____10. der Untergang	j. kämpfen
	k. wohl
	l. augenscheinlich

Exercise D: Conversation and Composition

Using the vocabulary of the text, base a conversation on the first and write a composition on the second of the following two topics:

1. Gespräch zwischen dem „lesenden Philosophen“ und Herrn Globke über den unruhigen Peter.

2. Aufsatz über das Thema „Am Freitag, dem 13., hat Peter ein bißchen Glück.“

4. *Ein vergeßlicher Raketenforscher.*

Exercise A: Questions

Answer each question with a complete German sentence.

1. In welchem Stock des Mietshauses wohnt das Ehepaar Gutsmann? 2. Was für eine Dame macht die Wohnungstür auf? 3. Mit welchen Worten ruft Frau Gutsmann ihren Mann an die Tür? 4. Wie sieht Herr Gutsmann aus? 5. Was wird aus Herrn Gutsmanns ganzem Geld? 6. Womit sind die Wände des Arbeitszimmers von Herrn Gutsmann behängt? 7. Was sagt Herr Gutsmann, als Peter nun darum bittet, ihm *Die Fliegende Untertasse* zu zeigen? 8. Wie beschreibt Herr Gutsmann das Paket, das er in der Stadtbahn hat liegen lassen? 9. Raucht Herr Gutsmann? 10. Was verspricht Peter Herrn Gutsmann?

Exercise B: True and False Statements

If the statement is correct as it now stands, you are to say **richtig** *and repeat the statement "as is" in German. If the statement is incorrect, say* **falsch** *and correct the statement before giving it in German.*

1. Das Ehepaar Gutsmann wohnt in Friedenau in der Rubensstraße. 2. Herr Gutsmann will gerade die Wohnung verlassen, als Peter keuchend im vierten Stock des großen Mietshauses anlangt. 3. Frau Gutsmann sagt: „Weltraumflüge! Das sieht meinem Männe doch nicht ähnlich." 4. Herr Gutsmann hat *Die Fliegende Untertasse* antiquarisch gekauft. 5. Da ihr Mann sein ganzes Geld auf den Mars schießt, bekommt Frau Gutsmann nicht genug zu essen. 6. Die riesige Satellitenrakete ist offenbar eine Schöpfung aus der Hand Herrn Gutsmanns. 7. Herr Gutsmann hat *Die Fliegende Untertasse* in der Stadtbahn liegen lassen. 8. Der letzte Film, den Peter gesehen hat, heißt *Emil und die Detektive.* 9. Um 14.10 Uhr hat Herr Gutsmann den Zug zum Nordbahnhof genommen. 10. „Männe" soll sich ein Beispiel an dem jungen Herrn Zimmermann nehmen.

Exercise C: Vocabulary Matching

Find the item in the second column that corresponds in meaning to a given item in the first column.

___ 1. beleibt	a. dann
___ 2. entschuldigen	b. auftreten
___ 3. das Schild	c. leben
___ 4. erscheinen	d. das Arbeitszimmer
___ 5. antiquarisch	e. das Plakat
___ 6. sich nähren	f. dick
___ 7. die Werkstatt	g. aus zweiter Hand
___ 8. riesig	h. beliebt
___ 9. zunächst	i. sowieso
___10. auf jeden Fall	j. sehr groß
	k. zuerst
	l. verzeihen

Exercise D: Conversation and Composition

Using the vocabulary of the text, base a conversation on the first and write a composition on the second of the following two topics:

1. Gespräch zwischen Herrn und Frau Gutsmann über *Die Fliegende Untertasse.*

2. Aufsatz über das Thema „Die Wohnung des Ehepaars Gutsmann."

5. *Ein Schlachtplan wird entworfen.*

Exercise A: Questions

Answer each question with a complete German sentence.

1. Was entwirft Peter auf der Rückfahrt nach Steglitz? 2. Wo liegt der Nordbahnhof? 3. Gibt es ein westliches Fundbüro der Stadtbahn? 4. Bei wem haben sich die Nachbarn inzwischen versammelt? 5. Welcher einst so ländliche Ort ist nach dem Zweiten Weltkriege zum Zentrum des neuen Berlins geworden? 6. Wo hat Dr. Springer seine ärztliche Praxis? 7. Welche drei Jungen fallen einem sofort ins Auge? 8. Wie hat Dr. Springer die drei „Jötter" einmal lachend ge-

nannt? 9. Wie lautet die letzte Zeile von Jochens poetischer Deklamation? 10. Wo hat ein waschechter Berliner Bengel den Mund? 11. Was versteht Schnock unter dem Namen „Schäfer“? 12. Wie bringt Schnock den Komparativ zum Schweigen? 13. Wessen Sache ist diese Suchaktion in erster Linie? 14. Wer soll die Telefonzentrale besetzen? 15. Womit müssen die Nachbarn immer mal rechnen? 16. Worauf versteht sich der Mathematikstudent Jocko? 17. Welche Verwaltung betreut die Berliner S-Bahn seit 1945? 18. Was verteilt Peter unter die Nachbarn als nötiges Kleingeld? 19. Was hat Jocko inzwischen ermittelt? 20. Warum telefoniert man nicht einfach mit dem Fundbüro der Stadtbahn am Alexanderplatz?

Exercise B: True and False Statements

If the statement is correct as it now stands, you are to say **richtig** *and repeat the statement "as is" in German. If the statement is incorrect, say* **falsch** *and correct the statement before giving it in German.*

1. Man muß den Zug ausfindig machen, in dem vielleicht das Buch zwischen Wannsee und Nordbahnhof noch spazierenfährt. 2. Der Kurfürstendamm bildet heute neben der Steglitzer Schloßstraße Berlins zweites Schaufenster. 3. Die Lehrlinge können nicht zu Horst kommen, weil sie heute nachmittag nicht frei haben. 4. Unter den Nachbarn gibt es keine Mädchen. 5. Wenn die Nachbarn das Lotterielos auftreiben, wird die Geldsammlung für die Reparatur von Horsts Auto unnötig sein. 6. Der Komparativ drückt gern alles Komplizierte möglichst einfach aus. 7. Man darf keine Privatgespräche in dieser Zeit führen, damit die Nummer nicht besetzt ist. 8. Der dritte „Mann“ soll als Verbindungsmann eingesetzt werden, wenn etwas Unerwartetes passiert. 9. Die beiden Suchpatrouillen erhalten den Auftrag, auf dem Bahnhof Steglitz in die S-Bahn einzusteigen und dem Zuge X entgegenzufahren. 10. Jocko kann ruhig ein paar Westmark in den Ostsektor mitnehmen.

Exercise C: Vocabulary Matching

Find the item in the second column that corresponds in meaning to a given item in the first column.

____ 1. sich befinden	a. sein
____ 2. allerdings	b. die Zuhörerschaft
____ 3. bereits	c. verbieten
____ 4. der Schupo	d. zwar
____ 5. die Schlacht	e. plötzlich
____ 6. gebieten	f. schon
____ 7. fortfahren	g. der Polizist
____ 8. aufs neue	h. der Kampf
____ 9. das Publikum	i. neulich
____10. auf einmal	j. noch einmal
	k. weitersprechen
	l. befehlen

Exercise D: Conversation and Composition

Using the vocabulary of the text, base a conversation on the first and write a composition on the second of the following two topics:

1. Gespräch zwischen dem Komparativ und Schnock über die zu errichtende Telefonzentrale.

2. Aufsatz über das Thema „Die Nachbarn dürfen die Hilfe der Stadtbahn nicht in Anspruch nehmen."

6. *Die weiße Hand einer dunklen Dame.*

Exercise A: Questions

Answer each question with a complete German sentence.

1. Wer hat die größte Aussicht, den richtigen Zug als erster abzufangen? 2. Stehen viele Leute am Schalter des Bahnhofs Steglitz? 3. Wie äfft Schnock das umständliche Deutsch des Komparativs nach? 4. Was für ein Wagen ist der erste und der letzte Wagen jedes S-Bahnzuges? 5. Wo steigen die drei Nachbarn um? 6. Wann dürfen die drei Freunde die diplo-

matischen Beziehungen wieder aufnehmen? 7. Ist der Zug X stark besetzt? 8. Was geschieht gerade in dem Augenblick, als die drei Nachbarn *Die Fliegende Untertasse* oben im Gepäcknetz liegen sehen? 9. Beschreiben Sie die junge Dame, die im kleinen Sonderabteil sitzt. 10. Was läßt Schnock jetzt im Stich? 11. Wann ist der Mann allein? 12. Wie redet Schnock die junge Dame an? 13. Was sagt die junge Dame zu Schnock, als sie das Abteil verläßt? 14. Wie heißt die junge Dame, und wo wohnt sie? 15. Was versteht man unter einer „Gangsterbraut"?

Exercise B: True and False Statements

If the statement is correct as it now stands, you are to say **richtig** *and repeat the statement "as is" in German. If the statement is incorrect, say* **falsch** *and correct the statement before giving it in German.*

1. Glücklicherweise hat der Komparativ genügend Groschen für die Stadtbahn in der Tasche. 2. Der letzte Wagen des S-Bahnzuges wird bei der Rückfahrt zum ersten. 3. Vorsicht ist die Mutter der Porzellankiste. 4. Vor Beginn der Hauptverkehrszeit verkehren fast ausschließlich Langzüge. 5. Eine schlecht gekleidete ältere Dame greift nach der *Fliegenden Untertasse.* 6. Schnock und die junge Dame reden sehr höflich miteinander. 7. Die Redensart „Mensch, da bleibt einem ja die Spucke weg!" gebraucht man nicht im Salon. 8. Schnock soll Fräulein von Klinken beschatten, um ihre Spur nicht zu verlieren. 9. Als Schnock Bärbel anruft, kann Peter nicht an den Apparat kommen. 10. Schnock beordert alle Nachbarn nach der Gartenstraße 3.

Exercise C: Vocabulary Matching

Find the item in the second column that corresponds in meaning to a given item in the first column.

____ 1. die Fahrt	a. hinzufügen
____ 2. lieber	b. empfehlen
____ 3. ergänzen	c. dünn
____ 4. vorschlagen	d. die Erzählung
____ 5. der Mittelgang	e. schlau
____ 6. schlank	f. zornig
____ 7. das Gesicht	g. die Reise
____ 8. über . . . hinaus	h. das Profil
____ 9. schleunig	i schnell
____10. wütend	j. der Korridor
	k. jenseits
	l. eher

Exercise D: Conversation and Composition

Using the vocabulary of the text, base a conversation on the first and write a composition on the second of the following two topics:

1. Gespräch zwischen zwei Mitreisenden, Herrn Dietrich und Frau Naumann, über Schnocks Begegnung mit Fräulein von Klinken in der Stadtbahn.

2. Aufsatz über das Thema „Im Augenblick der Entscheidung ist der Mann stets allein.“

7. *Ein merkwürdiges Wiedersehen.*

Exercise A: Questions

Answer each question with a complete German sentence.

1. Wie lange dauert es, ehe sich die Nachbarn vor dem Hause Gartenstraße Nr. 3 versammelt haben? 2. Warum kommt Schnock zuletzt zur Gartenstraße 3? 3. Wollen die Nachbarn die Polizei verständigen? 4. Ist außer der Dame inzwischen noch jemand in die Villa gegangen? 5. Wohin soll die „Bundesfahne“ sich begeben? 6. Wer soll an den Eingang gehen und auf die Klingel drücken? 7. Wer allein ist über seinen Auftrag ganz begeistert? 8. Scheint der Mond an diesem Abend? 9. Was hört man in der Ferne? 10. Wie

ergänzt Fräulein von Klinken Peters Selbstvorstellung „Ich bin Peter Zimmermann . . .“? 11. Woher weiß Fräulein von Klinken bereits, wer Peter ist? 12. Welcher Laut ertönt vom Garten her? 13. Was ruft der Festgehaltene, den die „Bundesfahne“ gewaltsam herbeischleppt? 14. Wer ist dieser gefesselte Mensch? 15. Für wen haben die drei Jötter Dr. Piepenbrink gehalten? 16. Wie nennt Peter die Villa? 17. Wie haben die drei Jötter Peter in eine verflixte Situation gebracht? 18. Mit was für einem Apparat hat Fräulein von Klinken das Gespräch in der Stadtbahn aufgenommen? 19. Was für Leute will Fräulein von Klinken vor ihrem Mikrofon haben? 20. Wer ist Dr. Piepenbrinks Braut?

Exercise B: True and False Statements

If the statement is correct as it now stands, you are to say **richtig** *and repeat the statement "as is" in German. If the statement is incorrect, say* **falsch** *and correct the statement before giving it in German.*

1. Horst hat Peter und Bärbel im Volkswagen nach Lichterfelde-West gebracht. 2. Das Haus in der Gartenstraße 3 liegt ganz einsam an der Ecke. 3. Da es jetzt fast dunkel ist, dringt ein helles Licht aus den nach der Straße zu gelegenen Fenstern heraus. 4. Ein paarmal hört man einen Hund bellen. 5. Wenn Jürgen dreimal hintereinander pfeift, soll Horst sofort den Motor des Wagens anlassen. 6. Horst bleibt im Wagen, obgleich er an die Gartenpforte treten will. 7. Peter erkennt Fräulein von Klinken nicht. 8. Dr. Piepenbrink macht sich einen Spaß daraus, daß die drei Jötter ihn überfallen haben. 9. Im Gymnasium nennen die Schüler ihren Klassenlehrer mit dem Kosenamen „Piepe“. 10. Wenn Peter noch einmal das Thema „Mein Lieblingsbuch“ gestellt bekommt, wird er einen Aufsatz über das Werk *Der Satzakzent der Berliner Mundart* schreiben.

Exercise C: Vocabulary Matching

Find the item in the second column that corresponds in meaning to a given item in the first column.

____ 1. der Menschenfresser	a. das Beispiel
____ 2. die Unterhaltung	b. augenscheinlich
____ 3. offenbar	c. der Kannibale
____ 4. stimmen	d. fertig
____ 5. das Probestück	e. sprechen
____ 6. bereit	f. richtig sein
____ 7. verwenden	g. glänzend
____ 8. einsam	h. das Gespräch
____ 9. sich ausdrücken	i. eigen
____10. blinkend	j. gebrauchen
	k. allein
	l. öffentlich

Exercise D: Conversation and Composition

Using the vocabulary of the text, base a conversation on the first and write a composition on the second of the following two topics:

1. Gespräch zwischen Fräulein von Klinken und ihrer Mutter über den Überfall auf Dr. Piepenbrink im Garten.
2. Aufsatz über das Thema „Die Gangstervilla liegt ganz einsam an der Ecke."

8. *Und ein vergnügtes Schlußkapitel.*

Exercise A: Questions

Answer each question with a complete German sentence.

1. Wann kommt Peter endlich nach Hause? 2. Wo wartet die Mutter auf Peter? 3. Was sagt Frau Zimmermann, als sie Peter um den Hals fällt? 4. Wo waren Peters Eltern früher zu Hause? 5. Wie will Frau Zimmerman jetzt ihre freie Zeit verwenden? 6. Machen die Nachbarn wirklich ihre Sommergroßfahrt nach Italien? 7. Was bekommt das Ehepaar Gutsmann von Peter Zimmermann? 8. Wie soll man die Redensart „per Anhalter fahren" ins Englische übersetzen? 9. Bei welcher Gelegenheit versammeln sich die Nachbarn wieder in

Lichterfelde-West? 10. Was hat das neugebackene Ehepaar Piepenbrink als Hochzeitsgeschenk bekommen?

Exercise B: True and False Statements

If the statement is correct as it now stands, you are to say **richtig** *and repeat the statement "as is" in German. If the statement is incorrect, say* **falsch** *and correct the statement before giving it in German.*

1. Peter ruft schon vom Hinterhof zur Mutter hinauf: „Mutti, wir haben das große Los, es ist da!" 2. Die Witwe Zimmermann wohnt im zweiten Stock des Gartenhauses. 3. Frau Zimmermann arbeitet als Reinemachefrau. 4. Peters Vater ist im Zweiten Weltkrieg gefallen. 5. Peter sieht seine an Globke verkauften Bücher leider nie wieder. 6. Trotz der Fünf in Mathematik ist Peter versetzt worden. 7. Dr. Springer erfährt vom Autounfall erst nach der Italienfahrt. 8. Der Studienrat Piepenbrink und der Arzt Springer sind Kegelbrüder. 9. Horst bezeichnet Dr. Piepenbrink als „einen knorken und pfundigen Klassenpauker." 10. Die Nachbarn kaufen dem neugebackenen Ehepaar Piepenbrink einen kleinen vitrinenartigen Schrank als Hochzeitsgeschenk.

Exercise C: Vocabulary Matching

Find the item in the second column that corresponds in meaning to a given item in the first column.

____ 1. unruhig	a. abliefern
____ 2. die Sorge	b. froh
____ 3. glücklich	c. der Kummer
____ 4. austragen	d. restlos
____ 5. rennen	e. rastlos
____ 6. eigentlich	f. laufen
____ 7. gewaltig	g. der Vertriebene
____ 8. der Flüchtling	h. abwesend sein
____ 9. fehlen	i. bauen
____10. zimmern	j. durchfallen
	k. tatsächlich
	l. kräftig

Exercise D: Conversation and Composition

Using the vocabulary of the text, base a conversation on the first and write a composition on the second of the following two topics:

1. Gespräch zwischen den beiden Kegelbrüdern Piepenbrink und Springer über die geplante Sommergroßfahrt der Nachbarn.
2. Aufsatz über das Thema „Eine Ansichtskarte an Herrn Studienrat Dr. Ernst Piepenbrink.“

German-English Vocabulary

Personal and place names have, with few exceptions, been omitted from this end vocabulary, which is otherwise intended to be complete. Whenever comments on proper names are in order, they appear in the footnotes to the text.

No effort has been spared in providing the idiomatically correct English equivalent of each German item. The reader will find idioms and other involved constructions under the key words of the expressions. The labels "colloquial," "dialect," and "slang" call attention to departures from standard usage.

If the accentuation of a word is unusual, an accent mark (′) appears above the vowel to be stressed. A troublesome pronunciation is represented in brackets by means of International Phonetic Transcription. Principal parts are supplied for all nouns and all verbs other than regular weak verbs. The third person singular of the present indicative is given, as the first form in parentheses, only if it is irregular; *e.g.*, **sehen (sieht, sah, gesehen).** Otherwise, the first form in parentheses is the third person singular of the imperfect indicative; *e.g.*, **schreiben (schrieb, geschrieben).** Parenthetical **ist** indicates that **sein** is the auxiliary verb in the perfect tenses; *e.g.*, **reisen (ist)** and **kommen (kam, ist gekommen).** A verbal prefix is separable whenever a hyphen separates the prefix from the infinitive; *e.g.*, **ab-betteln.** Students should note, however, that this hyphen is *not* part of the spelling.

The following abbreviations are used in the end vocabulary and elsewhere in the book:

abbrev.	abbreviation
acc.	accusative
adj.	adjective
adv.	adverb(ial)
antic.	anticipatory
art.	article
ca.	*circa,* approximately
cf.	*confer,* refer to, compare
colloq.	colloquial
comp.	comparative, comparison
conj.	conjunction
dat.	dative
def.	definite
dem.	demonstrative
dial.	dialect
e.g.	*exempli gratia,* for example
fam.	familiar
gen.	genitive
i.e.	*id est,* that is
impers.	impersonal
interj.	interjection
interrog.	interrogative
intrans.	intransitive
M.D.	doctor of medicine
neg.	negative
part.	particle
Ph.D.	doctor of philosophy
pl.	plural
pol.	polite
poss.	possessive
postpos.	postpositive
prep.	preposition
pron.	pronoun
reflex.	reflexive
rel.	relative
sing.	singular
sl.	slang
st.	student
superl.	superlative
trans.	transitive
voc.	vocabulary

A

der **Aal, –es, –e** eel

ab: ab (prep. with dat.) **16.30 Uhr** from 4:30 p.m. on; **ab** (adv.) **16.10 Nordbahnhof** leaves North Station at 4:10 p.m.

ab-betteln to beg from

der **Abend, –s, –e** evening; **gestern abend** (adv.) yesterday evening, last night; **abends** (adv. gen.) evenings, in the evening, nights, at night, p.m.

die **Abendbrotstulle, –, –n** sandwich for supper

das **Abendland, –(e)s** Occident, western world

aber but (conj.); however, why (adv.); **aber nein** why no

die **Abfahrtszeit, –, –en** departure time

ab-fangen (fängt ab, fing ab, abgefangen) to intercept

ab-geben (gibt ab, gab ab, abgegeben) to turn in

ab-h(ä)ngen (hängt ab, hing ab, abgehangen) von to depend on

ab-holen to call for, pick up, claim

ab-kommen (kam ab, ist abgekommen) von to give up, abandon

ab-kratzen to scrape off

ab-laden (lädt ab, lud ab, abgeladen) to unload

ab-lehnen to decline, deny, refuse

ab-liefern bei to deliver to, leave with

ab-rechnen to settle accounts; **abgerechnet** minus, take away

die **Abreise, –, –n** departure

ab-schließen (schloß ab, abgeschlossen) to conclude, end, terminate

die **Abschrift, –, –en** copy

das **Abschwellen, –s** diminuendo, falling

ab-sehen (sieht ab, sah ab, abgesehen) von to discount, disregard

die **Abseitigkeit, –** aloofness

die **Absicht, –, –en** intention, plan

absolút absolute(ly)

der **Abstand, –s** distance

das **Abteil, –s, –e** train compartment

ab-warten to wait for

abwesend absent

die **Abwesenheit, –** absence

ab-ziehen (zog ab, abgezogen) to pull off

ach oh, ah, ever

acht eight; **acht Tage** a week

die **Achtung: Alle Achtung!** That's great.

achtzehn eighteen

achtzig eighty

die **Adrésse, –, –n** address

afrikánisch African

ahá aha, I see

ahnen to suspect, have an idea about

die **Ahnfrau, –en** ancestress
ähnlich (with dat.) similar; **Ähnliches** something like that. **Das sieht dir ähnlich.** That sounds like you. That's just like you.
die **Ahnung, –, –en** idea, notion
ahnungslos unsuspecting
die **Aktenmappe, –, –n** briefcase
alle all; **alles** everything, all, anything
allein alone, by oneself, by myself, etc.
allerdíngs to be sure, indeed
allerhánd all kinds of things, everything
allzuviel far too much
als when, as (conj.); than (comp. part.); as (prep.); **nichts als** nothing but
also therefore, and so, well then, in other words
als ob as if, as though
alt old, antique; **eine ältere** (comp.) **Dame** an elderly lady; **diese Alten** these old people
die **Altersklasse, –, –n** age bracket
altmodisch old-fashioned
amerikánisch American
an (with acc. or dat.) on, onto (vertical surface); up to, to, at; almost, about (with acc.)
an-beulen to bang up
ander- other, else; **nichts anderes . . . als** nothing else . . . but
andererseits on the other hand
an-deuten to indicate
sich (dat.) **an-eignen** to appropriate to oneself, take
an-erkennen (erkannte an, anerkannt) to admit; **anerkennend** with a knowing air
anerkennenswert commendable
an-fahren (fährt an, fuhr an, angefahren) to let "fly" at a person, to let him "have it" (verbally)
der **Anfang, –s, ⁼e** beginning
der **Anfangsbuchstabe, –ns, –n** first letter
an-fassen to seize
an-füllen to fill, cram
an-geben (gibt an, gab an, angegeben): wie eine Tüte Mücken angeben to put on airs
an-gehen (ging an, angegangen) to concern a person
der **Angehörige (ein Angehöriger), –n, –n** member of a family
die **Angewohnheit, –, –en** habit
die **Angst, –, ⁼e** fear, anxiety, feeling of uneasiness; **aus Angst** for or from fear. **Keine Angst.** Don't be afraid.
an-halten (hält an, hielt an, angehalten): die Luft anhalten (st. sl.) to shut up, stop "gassing"
der **Anhalter, –s, –: per Anhalter fahren** to hitchhike
an-klagen to accuse; **anklagend** accusingly
an-kommen (kam an, ist angekommen) auf (with acc.):

wo alles darauf ankommt when everything is at stake
an-kündigen to announce, promise
an-langen (ist) in (with dat.) to arrive at, reach
an-lassen (läßt an, ließ an, angelassen) to turn on
der **Annäherungsversuch, -s, -e** attempt at an advance, advance
an-nehmen (nimmt an, nahm an, angenommen) to accept, assume, take on
an-prallen an (with acc.) to hit against
an-quatschen (sl.) to talk to, accost
an-reden to talk to
die **Anregung, –, –en** (with **zu**) suggestion, stimulation
der **Anruf, –s, –e** telephone call
an-rufen (rief an, angerufen) (with acc.) to call on the telephone
an-sagen to speak up, give the "word"
sich (dat.) **an-schauen** to look at
anschaulich clear, valid, illustrative
sich (acc.) **an-schließen (schloß sich an, sich angeschlossen)** (with dat.) to join, catch up with
an-schwellen (**schwillt an, schwoll an, ist angeschwollen**) to swell
an-sehen (sieht an, sah an, angesehen) to look at; **sich** (dat.) **ansehen** to look at; **sich** (dat.) **mit ansehen** to stand for; **sich** (acc.) **ansehen** to look at each other
an-setzen to begin
die **Ansicht, –, –en** view, opinion
die **Ansichtskarte, –, –n** picture postcard
der **Anspruch: in Anspruch nehmen** to ask for
anständig decent, respectable
anstatt (with gen.) instead of
an-stoßen (stößt an, stieß an, angestoßen) to nudge
antík ancient
der **Antiquár, –s, –e** second-hand book dealer
das **Antiquariát, –s, –e** second-hand book store
antiquárisch second-hand
die **Antwort, –, –en** answer, reply, response; **zur Antwort geben** to reply
antworten to answer, reply, respond
die **Anweisung, –, –en** instruction
die **Anwesenden, –** those present
an-wurzeln: wie angewurzelt as if nailed to the floor
der **Apparat, –s, –e** telephone, apparatus
die **Árbeit, –, –en** work, paper, project, dissertation
árbeiten to work
der **Arbeitstisch, –es, –e** desk
das **Arbeitszimmer, –s, –** workroom, workshop, study
arm poor
der **Arm, –es, –e** arm; **einen auf den Arm nehmen** to make fun of someone

die **Armbanduhr, –, –en** wristwatch
der **Arzt, –es, ¨–e** physician, doctor
ärztlich medical
die **Astrophysík, –** astrophysics, physics of outer space
au oh. **Au prima!** That's great.
auch also, too, as well, in addition, moreover, either, else, even; **wenn . . . auch** even if, even though
auf (prep. with acc. or dat.) on, onto (horizontal surface); up to, to, at, in, for, of; **auf** (with acc.) **zu** toward; **auf einmal** all at once, suddenly, at one time; **aufs neue** again; **auf** (adv.) up, off; **auf und davon sein** to be up and gone; **auf und davon rennen** to "take off"
auf-atmen: mit einem Seufzer der Erleichterung aufatmen to breathe a sigh of relief
das **Aufbellen, –s** barking
der **Aufenthalt, –s, –e** stop
auf-fallen (fällt auf, fiel auf, ist aufgefallen) (with dat.) to strike one as strange; **auffallend** striking
auffällig obvious(ly)
die **Aufforderung, –, –en** invitation
auf-geben (gibt auf, gab auf, aufgegeben) to give up
auf-gehen (ging auf, ist aufgegangen): Mir ging sofort ein Licht auf. The truth dawned on me at once.
auf-hängen to hang up
auf-hören to stop
auf-machen to open (the door)
aufmerksam: Ich mache Sie darauf (antic.) **aufmerksam, daß . . .** I call your attention to the fact that . . .
die **Aufmerksamkeit, –** attention
die **Aufnahme, –, –n** recording, instance
auf-nehmen (nimmt auf, nahm auf, aufgenommen) to pick up, record, take up; **wieder aufnehmen** to resume
auf-räumen to clean up, tidy up
das **Aufräumen, –s** cleaning up
auf-regen to excite; **sich** (acc.) **aufregen über** (with acc.) to get excited about
der **Aufsatz, –es, ¨–e** composition, theme
das **Aufsatzschreiben: beim Aufsatzschreiben** as one writes a theme
das **Aufsatzthema, des Aufsatzthemas, die Aufsatzthemen** theme topic
auf-schießen (schoß auf, ist aufgeschossen): hoch aufgeschossen lanky, tall
auf-schreiben (schrieb auf, aufgeschrieben) to write down, take down
die **Aufschrift, –, –en** designation, wording
das **Aufschwellen, –s** swelling, crescendo, rising
sich (dat.) **auf-sparen** to reserve, save for oneself

auf-stehen (stand auf, ist aufgestanden) stand up, get up

der **Auftrag, –s, ⸚e** assignment, mission, task

auf-treiben (trieb auf, aufgetrieben) to "dig up," find, locate

auf-treten (tritt auf, trat auf, ist aufgetreten) to step up, appear

sich (acc.) **auf-tun (tat sich auf, sich aufgetan)** to open

das **Auge, –s, –n** eye. **Es fällt mir ins Auge.** It attracts my attention.

der **Augenblick, –s, –e** moment, instant; **gerade in dem Augenblick** at that very moment

augenscheinlich apparent(ly)

augenzwinkernd winking

aus (prep. with dat.) out of, from, made of, of, for; **von der Straße aus** (adv.) from the street; **von sich aus** (adv.) of their own accord. **Die Schule ist aus** (adv.) School is out.

aus-bomben to destroy by bombs

aus-brechen (bricht aus, brach aus, ist ausgebrochen) to burst out

sich (dat.) **aus-denken (dachte sich aus, sich ausgedacht)** to think up, figure out (for oneself)

aus-dienen to serve one's time, to earn a rest

der **Ausdruck, –s, ⸚e** expression

aus-drücken to express

ausdrücklich explicitly, expressly

die **Ausdrucksweise, –, –n** mode of expression, expression

die **Auseinandersetzung, –, –en** conversation, dialogue

aus-fahren (fährt aus, fuhr aus, ausgefahren) to deliver

ausfindig machen to find, discover

die **Ausführung, –, –en** statement, utterance

die **Ausgabe, –, –n** expenditure

der **Ausgang, –s, ⸚e** exit

ausgezeichnet excellent; excellently, extremely well

aus-halten (hält aus, hielt aus, ausgehalten) to be able to bear it, "stick it out"

aus-hangen/aus-hängen (hängt aus, hing aus, ausgehangen) to be hanging, be on display

aus-heben (hob aus, ausgehoben) to stir up, uncover

aus-holen zu to prepare for

die **Auskunft, –, ⸚e** (piece of) information

aus-machen: Das macht nichts aus. That doesn't matter.

ausnahmsweise for a change

aus-rechnen to work out, figure out; **sich** (dat.) **ausrechnen** to work out for oneself

aus-schlagen (schlägt aus, schlug aus, ausgeschlagen) to refuse

ausschließlich exclusive(ly)

aus-sehen (sieht aus, sah aus, ausgesehen) wie to look like

aus-senden (sandte aus, ausgesandt) to send out, dispatch
außer (with dat.) outside of, besides, except, except for, in addition to
außerdem besides, moreover
äußerst extremely
die **Aussicht, –, –en** (with **zu**) chance, prospect
aus-spucken to spit out, eject
aus-steigen (stieg aus, ist ausgestiegen) to get off
das **Aussteigen: beim Aussteigen** as I got off
aus-strecken to stretch out
aus-tragen (trägt aus, trug aus, ausgetragen) to deliver
die **Auszahlung, –, –en** payment
der **Autler, –s, –** (sl.) motorist. (Cf. **Radler,** from **radeln.**)
das **Auto, –s, –s** car, auto
automátisch automatic(ally)
die **Áutoreparatúr, –** car repairs
der **Autounfall, –s, ¨–e** automobile accident
die **Autoversicherung, –, –en** automobile insurance

B

das **Bad, –es, ¨–er** bath
die **Bahn** (short form of **Stadtbahn**), – city railway; **in der Bahn** on the train
der **Bahnhof, –s, ¨–e** railway station
der **Bahnsteig, –s, –e** platform
die **Bahnsteigkante, –** edge of the platform
bald soon
das **Balkonzimmer, –s, –** [balkɔ̃́:–, balkó:n–] a room next to the balcony
der **Ballon, –s, –s** or **–e** [balɔ̃́:, baló:n] balloon
der **Band, –es, ¨–e** volume
das **Band, –es, ¨–er** tape
die **Bandaufnahme, –, –n** tape recording
die **Bande, –, –n** gang
der **Bandenchef, –s, –s** gang leader
die **Bank, –, ¨–e** seat
der **Bann, –es** spell
bannen: wie gebannt as if spell-bound
bar cash
básta (from Italian): **Und damit basta.** And that's the end of it.
basteln an (with dat.) to fuss, tinker with
das **Batteríe-Aúfnahmegerä́t, –s, –e** recording device operating on batteries
bauen to build
baufällig dilapidated
der **Baum, –es, ¨–e** tree
bedeuten to mean
die **Bedeutung, –, –en** meaning, significance
bedienen to look after, man; **sich** (acc.) **bedienen** (with gen.) to make use of
die **Bedingung, –, –en** condition, stipulation
bedrängen to press, push
beéhren to honor (with a visit)
beénden to complete, finish, end

der **Befehl, –s, –e** command, order, instruction, direction
befehlen (befiehlt, befahl, befohlen) (with dat. of person) to command, order
sich (acc.) **befinden (befand sich, sich befunden)** to be, be located
befragen to ask, question
sich (acc.) **begeben (begibt sich, begab sich, sich begeben) in** (with acc.) to enter
die **Begegnung, –, –en** encounter, meeting
begehren to desire, wish, want
begeistern: begeistert über (with acc.) enthusiastic about
der **Beginn, –s, –e** beginning
beginnen (begann, begonnen) to begin
der **Begleiter, –s, –** companion, escort
begreifen (begriff, begriffen) to understand, figure out
der **Begriff: gerade im Begriff sein, etwas zu tun** to be just about to do something
behalten (behält, behielt, behalten) to keep
der **Behandlungsraum, –s, ⸚e** treatment room
behängen to cover
behaupten to maintain
die **Behauptung, –, –en** assertion
beherrschen to control; **beherrscht** in control of himself
bei (with dat.) near, with, at, on, among, from, to, at the house of, in the case of
beide both, two
bei-legen to enclose
beinahe almost
das **Beispiel, –s, –e** example; **sich** (dat.) **ein Beispiel nehmen an** (+ dat.) to take an example from
der **Beitrag, –s, ⸚e** contribution
bei-tragen (trägt bei, trug bei, beigetragen) zu to contribute to
bekannt familiar; **bekannt geben** to advertise, publish
bekanntlich (adv.) as is commonly known
bekommen (bekam, bekommen) to receive, get
belehren to instruct; **belehrend** pedantically
beleibt corpulent, fat
beliebt popular
bellen to bark
bemerken to notice, note, see, watch
bemerkenswert unusual
der **Bengel, –s, –** fellow
benutzen to use
beóbachten to watch, observe
die **Beóbachtung, –, –en** observation
die **Beóbachtungsgábe –** power of observation
der **Beóbachtungspósten, –s, –** look-out
beórdern to direct, order
bequem comfortable; **es sich** (dat.) **bequem machen** to make oneself comfortable
die **Berechnung, –, –en** calculation
bereit ready, willing

bereits already
der **Bericht, -s, -e** report
berichten to report, tell
der **Berliner, –s, –** inhabitant of Berlin; **Berliner** (adj.) pertaining to Berlin
der **Beruf, –s, –e** profession, trade; **von Beruf** by profession or trade
der **Berufsschulnachmittag, –s, –e** afternoon spent in a trade school
beruhigen to calm, pacify, set at ease
die **Besatzungsmacht, –, ¨–e** occupation force, occupying power
beschädigen to damage
beschatten to shadow
der **Bescheid: Bescheid wissen** to know what is happening
beschlagnahmen to confiscate
beschließen (beschloß, beschlossen) to decide
beschreiben (beschrieb, beschrieben) to describe
die **Beschreibung, –, –en** description
besetzen to occupy, operate; **besetzt** full, busy, occupied, operated
besonder- special; **besonders** especially
besorgen to look after, take care of, do
besser (comp. of **gut**) better
best- (superl. of **gut**): **am allerbesten** best of all
bestätigen to verify, agree
bestehen (bestand, bestanden): bestehen auf (with dat.) to insist on; **bestehen aus** (with dat.) to consist of
besteigen (bestieg, bestiegen) to mount
bestellen to instruct a person to be somewhere
besuchen to visit
die **Betrachtung, –, –en** contemplation
betreuen to control
die **Betrübnis, –, –se** grief, sorrow, dismay
die **Beule, –, –n** dent, bump
beurteilen to evaluate, size up
bevor (conj.) before
bevor-stehen (stand bevor, bevorgestanden) to be imminent; **bevorstehend** impending, at hand
bewahren to preserve
bewegen (bewog, bewogen) to induce
die **Bewunderung, –** admiration
das **Bewußtsein, –s** awareness
bezahlen to pay for, pay
die **Beziehung, –, –en** relation
die **Bibliothék, –, –en** library
biegen (bog, gebogen) to bend; **sich** (acc.) **vor Lachen biegen** to be bent over with laughter.
der **Bienenstock, –s, ¨–e** beehive
das **Bild, –es, –er** picture, illustration. **Herr Globke war sofort im Bilde.** Mr. Globke realized at once what had happened.
bilden to constitute, represent, form, make, be
billig cheap
bis until, to, as far as, before

bisher up to now, up to then
bißchen: ein bißchen a bit, a little, a while
die **Bitte, –, –n** request
bitte please
bitten (bat, gebeten) um to ask for, request
bitteschön please do, please permit me
blaß pale
das **Blatt, –es, ⸚er** page, sheet, leaf
blättern in (with dat.) to leaf through, turn the pages of
das **Blech, –es** sheet metal
bleiben (blieb, ist geblieben) to remain, stay, be left, be, become. **Wo ist *Die Fliegende Untertasse* geblieben?** What has become of *The Flying Saucer?*
der **Bleistift, –s, –e** pencil
der **Blick, –es, –e** glance, look, eye
blicken to glance
blinken to shine; **blinkend** shining, shiny
blitzschnell lightning-fast, instantaneous
blond blond, fair
bloß only, just, simply
die **Bombe, –, –n** bomb
der **Bombenangriff, –s, –e** bombing attack, air raid
böse bad
der **Botengang, –s, ⸚e** errand; **einen Botengang machen** to run an errand
brach-liegen (lag brach, brachgelegen) to lie fallow or desolate
brauchen to need, have to
die **Braut, –, ⸚e** fiancée, girl friend
die **Brautleute, –** engaged couple
das **Brautomobíl, –s, –e** (sl.) motorcycle for young man and his girl friend; compound coined from **Braut** and **Automobil.**
bravo good
breit: weit und breit far and wide, for quite a distance
der **Brief, –es, –e** letter
der **Briefkasten, –s, –** or **⸚** letterbox, mailbox
die **Brille, –, –n** spectacles, glasses
bringen (brachte, gebracht) to bring, take, involve; **ein Opfer bringen** to make a sacrifice; **in Ordnung bringen** to settle, take care of; **zum Schweigen bringen** to silence. **Bis zum großen Los haben wir's noch nicht gebracht.** We haven't managed to win the grand prize yet.
der **Bruchteil, –s, –e** fraction
brummen: Es (impers.) **brummte.** Things were buzzing.
das **Buch, –es, ⸚er** book
das **Büchergeld, –s** book money
der **Bücherhaufe(n), –ns, –n** stack of books
das **Bǘcherregál, –s, –e** book shelf
der **Büchertisch, –es, –e** book counter
der **Buchhändler, –s, –** book dealer
der **Bückling, –s, –e** smoked herring

bumsen: daß es (impers.) **bumste** with a bang

die **Bundesfahne,** – flag of the Federal Republic of Germany

bunt confused, involved

der **Bürgersteig, –s, –e** sidewalk

der **Bursch, –en, –en** lad

der **Bus** (short form of **Autobus**), **–ses, –se** bus

C

die **Chance, –, –n** [ʃɑ̃ːsə] chance, opportunity

der **Chef, –s, –s** [ʃɛf] leader

der **Chor, –es, ⸚e** [koːr] chorus

D

da (adv.) there, here, then, in that case, under the circumstances, and so, in that connection; **da** (conj.) since (causal)

dabei in the process, at the same time; **dabei sein** to be involved, present, along. **Was ist denn dabei?** And what of it?

dafür in exchange, instead, for his part, for that purpose. **Ich kann nichts dafür.** I can't help it. **Ich bin dafür** (antic.), **daß wir zu Hause bleiben.** I am in favor of our staying at home.

dagegen: Der Mann wehrte sich vergeblich dagegen (antic.), **daß man ihn festhielt.** The man was objecting in vain to their holding on to him; i.e., was resisting in vain.

dahin there (thither)

damals at that time, in those days

die **Dame, –, –n** lady, "dame"; **die alte Dame** the "old lady," mother

damit (prep. compound) with it, with them; with that, with these words. **Wir müssen damit** (antic.) **rechnen, daß das Los verloren ist.** We must reckon with the possibility that the ticket is lost. **damit** (conj.) in order that, so that

danach then, after that

der **Dank, –es** thanks, gratitude; **verbindlichsten Dank** thank you very much

dankbar grateful(ly)

danke thank you

dankeschön thank you very much

dann then

daran: daran denken to think of that

darauf on it, on that, to that; thereupon, in reply. **Horst hatte darauf** (antic.) **bestanden, den Wagen seines Vaters zu benutzen.** Horst had insisted on using his father's car.

daraufhin thereupon

dar-stellen to represent, be
darüber about that. **Ich werde mir darüber** (antic.) **klar, wo ich aussteigen will.** I am making up my mind about where I want to get off.
darum therefore, for that reason. **Peter bat darum** (antic.), **ihm das Buch zu zeigen.** Peter asked Mr. Gutsmann to show him the book.
darunter beneath
das (see **der** dem.) that, those; **das hier** this. **Das bin ich.** I am she.
daß that, so that, the fact that
da-stehen (stand da, dagestanden) to stand there
dauern: Es dauerte doch etwa eine Stunde. However, it took about an hour.
davon: auf und davon up and gone; **unabhängig davon** apart from that; **davon abkommen** to give up the idea
davon-gehen (ging davon, ist davongegangen) to leave
davon-stürmen (ist) to rush off
dazu for that, for that purpose, for that reason; **eine Gelegenheit dazu** an opportunity to do so
dazu-kommen (kam dazu, ist dazugekommen) to join them
dazwischen in between
dazwischen-kommen (kam dazwischen, ist dazwischengekommen) (with dat.) to develop for, happen to
dazwischen-rufen (rief dazwischen, dazwischengerufen) to interrupt loudly
die **Debátte, –, –n** debate
die **Decke, –, –n** ceiling
dein- (fam. sing.) your, yours
die **Deklamatión, –, –en** declamation
denken (dachte, gedacht) an (with acc.) to think about; **sich** (dat.) **denken** to think to oneself, think up; **bei sich denken** to think to oneself
denn (conj.) for; **denn** (part.) tell me, I wonder, if you please, you mean, I ask you, then, now. **Was denn?** What's that?
der (def. art.) the; **mit dem Mund auf dem rechten Fleck** with *his* mouth in the right spot
der (dem.) that, that one, those; he, she, it, they, etc.; the latter's
der (rel. pron.) who, whose, whom, which, that
deshalb therefore, for that reason; **deshalb** (antic.), **weil** because
desto: je lauter, desto kleiner the louder, the smaller; **desto weniger** (all) the less
deswegen for that reason
detektívisch: mit detektivischem Blick with the eye of a detective
deutlich clear(ly)

deutsch (adj.) German
(das) **Deutsch** the German language; **auf deutsch** in German
der **Dialóg, –s, –e** dialogue, conversation
dicht right up close; **dicht unter seine Augen** close to his eyes; **dicht an dem Radfahrer vorbei** just missing the person on the bicycle
dick fat, thick, big
der **Dieb, –es, –e** thief
die **Diebin, –, –nen** (female) thief
die **Diele: die große Diele** the entrance hall
dienen (with dat.) to serve
der **Dienst, –es, –e** service
dies- this, this one, these, the latter; **seit diesem Tage** since or from that day
diesmal this time
das **Ding, –es, –e** thing, object
diplomatisch diplomatic
direkt direct(ly), straight
dirigiéren to direct
die **Diskussión, –, –en** discussion
DM (abbrev. for **Deutsche Mark**)
doch but, however, nevertheless; after all, actually, really, surely; why yes; **wo er doch selber eigentlich die Hauptschuld hatte** since he himself actually bore the chief responsibility; **wenn ich's doch sage** if I do say so myself. **Bitte kommen Sie doch herein!** Please, do come in. **Es ist doch noch nie was passiert.** Nothing has happened yet, has it?
der **Dóktor, –s, –(tór)en** doctor
die **Dóktorárbeit, –, –en** doctoral dissertation
die **Dóktorpromotión, –** the conferring of the Ph.D.
die **Dóktorprovokatión, –** pun involving preceding item; better not translated
doppelt double
das **Dorf, –es, ¨–er** village
dort there, in it
dozieren to lecture
Dr. med. (abbrev. for **Doktor der Medizin**) doctor of medicine, M.D.
dran (contracted form of **daran**) **sich** (acc.) **dran gewöhnen** to adapt to the situation
drängeln to insist, persist
drauf (contracted form of **darauf**) on it; on that; **fleißig drauf losschreiben** to begin to write for all one is worth
draußen outside; **hier draußen** out here, out there
der **Dreck, –es** dirt, filth, dung. **Das geht Sie einen feuchten Kehricht an, um nicht zu sagen Dreck** (sl.). That is none of your business; I might even say, none of your darned business.
drehen an (with dat.) to turn on, turn
drei (adj.) three
die **Drei, –, –en** (noun) three; III = *C* or "satisfactory" as a grade

die **Dreieinigkeit, –** trinity
dreimal three times
dreißig thirty
die **Dreiviertelstunde, –** three quarters of an hour
dreizehn thirteen
dreizehnt- thirteenth
drin (contracted form of **darin**) in it
drinnen: da drinnen inside
dritt- third; **zu dritt** the three of them, us, etc.
drüben over there
drücken: drücken auf (with acc.) to press; **gedrückt** depressed; **wo einen der Schuh drückt** what is wrong with a person. **Er drückte dem Freunde fest die Hand.** He clasped his friend's hand firmly.
du (deiner, dir, dich) (fam. sing.) you. **Willst du lieber für dich und deine Nachbarn einen kleinen Kombiwagen?** Would you prefer a small station wagon for yourself and your friends? **Du, Komparativ.** Say, **Komparativ.**
dumm stupid, dumb
dunkel dark; **eine dunkle Dame** a mysterious lady
dünn thin
durch (with acc.) through, by, by means of, in, with
durchdringen (durchdrang, durchdrungen) to pierce
durch-fallen (fällt durch, fiel durch, ist durchgefallen) to fail an examination
durch-sagen to announce
durchsuchen nach (with dat.) to search for
dürfen (darf, durfte, gedurft or **dürfen)** may, to be permitted, to be entitled, can. **Die Mädchen dürfen keine Privatgespräche führen.** The girls must not make any personal calls. **Das dürfte für alle Ausgaben drüben reichen.** That will probably be enough for all your expenditures over there.

E

eben just, just now, exactly, simply; **eben erst** just now; **eben mal** simply, after all
ebenso: ebenso wie just like, as well as
echt real, genuine
die **Ecke, –, –n** corner; **aus allen Ecken** from anywhere and everywhere
edel noble, worthy
ehe (conj.) before
das **Ehepaar, –s, –e** married couple
eher rather, sooner
die **Ehre, –, –n** honor
ehrlich honest(ly)
eifrig busy, busily, earnest(ly), zealous(ly)
eigen (adj.) own
eigentlich actual(ly), real(ly)
das **Eigentum, –s, ¨–er** possession, property
die **Eile, –** haste, speed

eilig: ganz eilig in a big hurry, right away; **eiligst** very quickly

der **Eimer, –s, –** bucket. **Dann wäre auch für ihn die Italienfahrt „im Eimer“ gewesen.** Then the trip to Italy would have been out of the question for him, too.

ein- (adj., pron.) one, one thing, a, an, somebody

einander each other, one another (written together with preposition; e.g., **hintereinander, miteinander, nebeneinander, voneinander**)

ein-brennen (brannte ein, eingebrannt) to engrave, etch

ein-bringen (brachte ein, eingebracht) to yield, bring in, produce

der **Einbruch, –s, ⸚e** robbery

einfach simple, simply, just

ein-fahren (fährt ein, fuhr ein, ist eingefahren) to pull in, come in, arrive

der **Einfall, –s, ⸚e** idea, "brainstorm"

ein-fallen (fällt ein, fiel ein, ist eingefallen) (with dat.) to occur, come back. **Jetzt fällt mir ein.** Now I remember. **einfallen in** (with acc.) to join in on

ein-fangen (fängt ein, fing ein, eingefangen) to pick up, record

der **Eingang, –s, ⸚e** entrance, front door

die **Eingangslampe, –, –n** entrance light

die **Eingangspforte, –, –n** front door

die **Eingangstreppe, –, –n** front steps

die **Eingangstür, –, –en** front door

ein-greifen (griff ein, eingegriffen) to intervene, step in

ein-hängen to hang up

die **Einheit, –, –en** unit

ein-holen to buy, pick up, take home; **das Eingeholte** what he had bought

das **Einholen, –s** taking home

einig-: einige some, several, a few; **einiges** a few things

ein-laden (lädt ein, lud ein, eingeladen) to invite

ein-laufen (läuft ein, lief ein, ist eingelaufen) to pull in, come in, arrive

einmal once, on one occasion, simply, just; **auf einmal** suddenly, all at once, at one time; **nicht einmal** not even; **noch einmal** again; **wieder einmal** again

ein-richten to arrange

die **Eins, –, –en** (noun) one; I = *A* or "excellent" as a grade

einsam lonely; **ganz einsam** all alone, all by oneself; **völlig einsam** all by itself

ein-schüchtern to intimidate

das **Einsegnungsgeschenk, –s, –e** confirmation gift

ein-sehen (sieht ein, sah ein, eingesehen) to realize, see

ein-setzen to use, commit

einst once, formerly

ein-steigen (stieg ein, ist eingestiegen) in (with acc.) to board, get on
ein-treffen (trifft ein, traf ein, ist eingetroffen) to pull in, come in, arrive
das **Eintreffen, –s** arrival
einundzwanzig twenty-one
einverstanden Do you agree? Agreed?
der **Einwand, –s, ¨–e** objection
ein-werfen (wirft ein, warf ein, eingeworfen) to interject
ein-wickeln to wrap
das **Einwickelpapier, –s** wrapping paper
einzig only, single
das **Eisenbahnabteil, –s, –e** train compartment
eisern (adj.) iron
die **Éiskondíte, –, –n** (sl. for die **Eiskonditorei**) ice-cream shop
elegánt elegant
elf eleven
die **Eltern, –** parents. **Die Beule im Schutzblech jedoch war nicht „von schlechten Eltern"**. However, the bump on the fender was first-rate.
(der) **Émil, –s** (sl.) guy, boy friend
empfehlen (empfiehlt, empfahl, empfohlen) to recommend, commend; **sich** (acc.) **empfehlen** to be advisable
empören to annoy, provoke
das **Ende, –s, –n** end; **zu Ende sein** to be over, be finished or complete
enden to end, finish
endgültig final(ly)
endlich final(ly)
der **Endsieg, –s** ultimate, final victory
die **Éndstatión, –, –en** terminal point
(das) **Englisch** the English language
entdecken to discover, notice
die **Entfernung, –, –en** distance
entfliehen (entfloh, ist entflohen) to get away, escape
entgegen-fahren (fährt entgegen, fuhr entgegen, ist entgegengefahren) (with dat.) to travel or go in the direction of
entgegen-kommen (kam entgegen, ist entgegengekommen) (with dat.) to approach, move toward
entgegen-sehen (sieht entgegen, sah entgegen, entgegengesehen) (with dat.) to expect
entlang-brausen (ist) to whiz along
entscheiden (entschied, entschieden) to decide, rule; **entscheidend** decisive
die **Entscheidung, –, –en** decision; **eine Entscheidung treffen** to make a decision
entschlossen: kurz entschlossen with swift resolve, without hesitating
entschuldigen to excuse, forgive, pardon
entweder . . . oder either . . . or
entwerfen (entwirft, entwarf, entworfen) to outline, sketch

er (seiner, ihm, ihn) he, it, him
erben to inherit
erbetteln to obtain through begging
erbitten (erbat, erbeten) to ask for, request; **sich** (dat.) **erbitten** to desire
der **Erdbewohner, –s, –** earth dweller
die **Erdbewohnerin, –, –nen** (female) earth dweller
der **Erdboden, –s** ground
die **Erde, –** earth, floor
erfahren (erfährt, erfuhr, erfahren) to find out, learn
der **Erfolg, –s, –e** success
erfrischen to refresh
erfüllen to fulfil, carry out
ergänzen to add the final word, complete the sentence
das **Ergebnis, –ses, –se** result
erhalten (erhält, erhielt, erhalten) to receive
die **Erholung: zur Erholung** for a vacation
sich (acc.) **erinnern an** (with acc.) to remember
erkennen (erkannte, erkannt) to recognize, realize, make out, see; **erkennen an** (with dat.) to make out about
erklären to explain, declare, state, say
die **Erlaubnis, –, –se** permission
erleben to experience, go through
erledigen to take care of
die **Erleichterung, –** relief
erleuchten to turn on
ermitteln to determine, find out
errechnen to compute
die **Erregung; in großer Erregung** in a state of great agitation
erreichen to reach, arrive at; **noch erreichen** to be able to catch, succeed in reaching
errichten to set up, establish; **die zu errichtende Telefonzentrale** the telephone switchboard that is to be set up.
erröten (ist) to blush
erscheinen (erschien, ist erschienen) to appear, come
erst- (adj.) first, initial; **im ersten Stock** on the second floor; **erst** (adv.) first, for the first time, only, not until; **eben erst** just now; **erst recht nicht** even less
erstklassig first-class, first-rate
ertönen (ist) to sound, be heard
erwarten to expect, wait for, await
erweisen (erwies, erwiesen) to show, pay
erwidern to answer, reply, respond, return
erwischen to locate, find, catch
erzählen to tell, narrate; **sich** (dat.) **immer alles erzählen** to talk to oneself all the time
die **Erzählung, –, –en** tale, story, narration

es (seiner, ihm, es) it, they, there; **wenn ich es sage** if I say so. **Ich bin es.** I am she. **Er wollte es auch werden.** He wanted to become one also. **Es wird gleich allerhand passieren.** All kinds of things will happen in no time at all.

das **Es,** – "it"

das **Eßbesteck, –s, –e** set of eating utensils

essen (ißt, aß, gegessen) to eat

das **Eßzimmer, –s,** – dining room

etwa about, approximately; for example, let us say, shall we say, by any chance; **die etwa vorhandenen Ausgänge** any exits there may be; **etwa zehn Minuten** every ten minutes; **etwa gegen 16 Uhr** at about 4:00 p.m.

etwas (pron.) something, anything; **etwas sehr Einfaches** something quite simple; **etwas** (adv.) somewhat

das **Etwas** object

euer- (fam. pl.) your, yours

F

fahren (fährt, fuhr, ist gefahren) to travel, go, drive, ride, take; **per Anhalter fahren** to hitchhike; **auf die Mitte der Kreuzung fahren** to go right through the intersection

der **Fáhrkartenautomát, –en, –en** ticket machine

der **Fahrplan, –s, ¨–e** schedule, timetable

die **Fahrplantafel, –, –n** timetable placard

das **Fahrrad, –s, ¨–er** bicycle

die **Fahrt, –, –en** trip

der **Fall, –es, ¨–e** case, matter, situation; **auf jeden Fall** in any case; **auf keinen Fall** in no case, under no circumstances; **für alle Fälle** for any eventuality, no matter what may happen

fallen (fällt, fiel, ist gefallen) to fall, be killed; **einem ins Auge fallen** to attract a person's attention; **einem um den Hals fallen** to embrace somebody; **einem ins Wort fallen** to interrupt a person; **fallen in** (with acc.) to collapse onto

falls (conj.) in case

falsch in disguise, misleading, deceitful

fangen (fängt, fing, gefangen) to catch

fassen: sich (dat.) **ein Herz fassen** to take courage

fast almost; **fast gar nicht** hardly at all

fehlen to be absent, be lacking, missing

die **Feier, –, –n** celebration

die **Feigheit, –** cowardice, timidity

fein fine, refined, delicate, sensitive

das **Fenster, –s,** – window

die **Ferne, –** distance

die **Férnrakéte, –, –n** long-range rocket

fertig finished, ready; **fertig werden mit** to make out with, take care of
fesseln to hold captive
fest firm(ly); **steif und fest** emphatically
fest-binden (band fest, festgebunden) auf (with dat.) to fasten to
fest-halten (hält fest, hielt fest, festgehalten) to keep together, hold on to, hold securely, hold captive; **sich** (acc.) **festhalten an** (with dat.) to hold on to
fest-stellen to ascertain, determine, find out, state
die **Féststoffrakéte, –, –n** solid-fuel rocket
feucht damp, moist. **Das geht Sie einen feuchten Kehricht an.** That's none of your business.
der **Film, –es, –e** film, movie
der **Filmtitel, –s, –** title of a movie
finanziéll financial
finden (fand, gefunden) to find, establish; **'n gefundenes Fressen** a real find, a juicy item
der **Finger, –s, –** finger; **lange Finger machen** (sl.) to have sticky fingers, steal. **Sie spielt nervös mit ihren Fingern an der Handtasche.** She nervously fingers the handbag.
das **Fischgeschäft, –s, –e** fish market
der **Fleck, –es, –e** place, spot
fleißig: fleißig drauf losschreiben to begin to write for all one is worth
fliegen (flog, ist geflogen) to fly
die **Fliegerbombe, –, –n** (air) bomb
fliehen (floh, ist geflohen) to get away, escape
der **Fluch, –es, ⸚e** curse
der **Flüchtling, –s, –e** refugee
der **Flughafen, –s, ⸚** airfield, airport
der **Flugplatz, –es, ⸚e** airfield, airport
das **Flüstern, –s** whispering
folgen (ist) (with dat.) to follow; **dem Ruf folgen** to answer the call
formulieren to express, put
fort-fahren (fährt fort, fuhr fort, fortgefahren) to continue
die **Frage, –, –n** question; **eine Frage an** (with acc.) a question directed to. **Kommt ja gar nicht in Frage!** That's completely out of the question, really.
fragen to ask, inquire, question; **sich** (acc.) **fragen** to ask oneself, wonder
das **Fragmént, –s, –e** fragment
die **Frau, –, –en** woman, wife; Mrs.; **gnädige Frau** madam
die **Frauensperson, –, –en** female, "dame"
das **Fräulein, –s, –** young lady, Miss; **gnädiges Fräulein** Miss
frech fresh(ly), impudent(ly)

die **Frechheit,** – freshness, impudence

frei free, available; **ihr freier Nachmittag** their afternoon off

der **Freitag, –s, –e** Friday

freiwillig voluntarily

fremd: fremdes Gut somebody else's property

das **Fressen, –s** food; **'n gefundenes Fressen** a real find, a juicy item

die **Freude, –, –n** joy, delight, glee; **ganz wild vor Freude** quite beside himself with joy

der **Freudenausbruch, –s, ⸚e** expression of delight

sich (acc.) **freuen über** (with acc.) to be delighted, be glad, be happy, be pleased, rejoice about or over; **sich** (acc.) **freuen auf** (with acc.) to look forward to

der **Freund, –es, –e** friend

freundlich friendly, in a friendly way, amiable, amiably

die **Freundlichkeit,** – friendliness

frischgebacken newly created, recently "arrived"

frisieren to dress the hair; **deine frisierte Schnauze** (sl.) your fancy talk

froh glad, happy

früh early, soon; **zu früh** too soon, prematurely

das **Frühlingskostüm, –s, –e** spring outfit

der **Frühlingstag, –s, –e** spring day

führen to lead, conduct, carry on, make

der **Führerschein, –s, –e** driver's license; **seinen Führerschein machen** to pass his driving test, get his driver's license

das **Fúndbüró, –s, –s** lost-and-found office

der **Fundbürofahrer, –s,** – driver to the lost-and-found office

die **Fundunterschlagung,** – refusal to relinquish something that has been found. **Die junge Dame wird wohl keine Fundunterschlagung machen.** No doubt, the young lady will not "pocket" what she has found.

fünf five; **gerne fünfe gerade sein lassen** to close one's eyes to something, take matters in one's stride, be willing to stretch a point

die **Fünf, –, –en** (noun) five; V = *E* or "conditional" as a grade

der **Fünfminutenverkehr, –s** service at five-minute intervals

fünfundzwanzig twenty-five

fünfzehn fifteen

fünfzig fifty

der **Fünfziger** (= **das Fünfzigpfennigstück**), **–s,** – half a West German Mark, the equivalent of $0.125

das **Fünfzigpfennigstück, –s, –e** See the preceding item.

für (prep. with acc.) for, in favor of, for the sake of, in the name of; **Zug für Zug**

every train, one train after another; **was . . . für ein** what kind of

der **Fußball, –s** soccer

G

der **Gang, –es, ¨e** motion, swing

die **Gangsterbraut, –, ¨e** (sl.) gun moll

die **Gangstervilla, –, Gangstervillen** gangsters' hide-out

ganz complete(ly), whole, wholly, quite, very; **ganz allein** all alone; **sein ganzes Geld** all his money; **ganz genau** exactly, precisely, in detail; **ganz vorn(e)** way up front

gar at all; **gar nicht** not at all

gar (short form of **sogar)** even; **oder gar** let alone, least of all

die **Gardínenprédigt, –, –en** henpecking lecture

der **Garten, –s, ¨** garden, yard

das **Gartenfest, –s, –e** garden party

das **Gartengitter, –s, –** garden or yard fence

das **Gartenhaus** (= **das Hinterhaus), –es, ¨er** building located some distance back from the street

die **Gartenpforte, –, –n** garden or yard gate

der **Gartenzaun, –s, ¨e** garden or yard fence

der **Gast, –es, ¨e** guest

die **Gaunerin, –, –nen** (female) cheat, thief

geben (gibt, gab, gegeben) to give; **es gibt** there is, there are; **bekannt geben** to advertise, publish

gebieten (gebot, geboten) (with dat. of person) to command, order

das **Gebirge, –s, –** mountains; **ins Gebirge** to the mountains

gebrauchen to use

die **Gebühr, –, –en** fee, tax

der **Geburtstag, –s, –e** birthday; **zum letzten Geburtstag** for his last birthday

der **Gedanke, –ns, –n** thought, idea, notion

das **Gedränge, –s** crowd

die **Gefahr, –, –en** danger

gefährden to endanger

der **Gefallen, –s, –** favor

gefälligst: Lassen Sie mich gefälligst los! Be so good as to let me go.

gegen (with acc.) against, toward; **(etwa) gegen sieben Uhr** at about seven o'clock

gegenseitig: sich gegenseitig each other, one another

gegenüber: schräg gegenüber diagonally opposite

die **Gegenwart, –** presence

geheimnisvoll mysterious(ly)

gehen (ging, ist gegangen) to go, walk, happen. **Das geht nicht.** That isn't possible, won't work. **Bisher war auch alles immer gut gegangen.** Moreover, up to now everything had turned out well. **auf Fahrt gehen** to take a trip; **gehen durch**

to pass through, be subjected to; **vor sich gehen** to occur, take place

das **Gehör: Gehör schenken** (with dat.) to listen to somebody

gehorchen (with dat.) to obey, follow

gehören (with dat.) to belong to; **gehören in** or **auf** (with acc.) to belong in or on

geistesgegenwärtig with presence of mind

geizig stingy

das **Gelächter, –s** laughter; **ein schallendes Gelächter** a loud peal of laughter, roar

das **Gelaufe, –s** movement

gelb yellow

das **Geld, –es, –er** money; **zu Geld machen** to convert to cash

die **Geldsammlung, –** collecting money

die **Gelegenheit, –, –en** chance, occasion, opportunity; **bei der Gelegenheit** on this occasion

gelingen (gelang, ist gelungen) (with dat.): **Es** (impers.) **gelingt mir** I succeed.

das **Gelingen, –s** success

gelten (gilt, galt, gegolten): Es gilt, fleißig zu arbeiten. It is a question of working hard. **Die drei Jötter galten als unüberwindlich.** The three Jötter were considered to be invincible.

die **Gemeinsamkeit, –, –en** point in common, similarity

gemütlich good-natured

genau exact(ly), close(ly); **ganz genau** exactly, precisely, in detail; **nicht genau** not quite; **genauer gesagt** more correctly

genug enough

genügen to be enough; **genügend Groschen** enough coins

der **Gepäckhalter, –s, –** package rack, carrier

das **Gepäcknetz, –es, –e** baggage rack

gerade (adj.) even; **gerne fünfe gerade sein lassen** to close one's eyes to something, take matters in one's stride, to be willing to stretch a point

gerade (adv.) just, just then, only, especially, by chance; **gerade noch** barely, just; **nicht gerade** not exactly; **gerade heute** today of all days. **Die drei Nachbarn wollten gerade dieser Aufforderung nachkommen.** The three Neighbors were just about to accept this invitation. **Eine Klassenarbeit wurde gerade geschrieben.** The class happened to be taking a test.

geraten (gerät, geriet, ist geraten) in (with acc.) to enter, fall into

das **Gerede, –s** talk

das **Gericht: beim Jüngsten Gericht** at the Last Judgment

die **Germanistik, –** Germanics; Germanic linguistics, literature, and culture

gern(e) (adv.): **sehr gern haben** to like very much; **gern lesen** to like to read, enjoy reading; **gern wollen** to want very much, be quite willing, be anxious; **gerne fünfe gerade sein lassen** to take matters in one's stride, close one's eyes to something, be willing to stretch a point. **Er wollte das doch nicht gern hinausposaunen.** After all, he preferred not to blare that out. **Sie dürfen das gerne tun.** You may go right ahead and do so.

das **Gerücht, -s, -e** rumor

die **Gesamtfahrzeit, -** total traveling time

geschäftlich business, commercial

das **Geschäftsgeheimnis, -ses, -se** business secret

der **Geschäftsmann, -s, Geschäftsleute** businessman

geschehen (geschieht, geschah, ist geschehen) to happen. **Und so geschah es.** And that's the way it was.

die **Geschichte, -, -n** story, history, fix, incident, jam

das **Geschimpfe, -s** critical or uncomplimentary speech

das **Gesellschaftszimmer, -s, -** drawing room, living room

das **Gesicht, -s, -er** face; **im Gesicht** on the face, in the facial expression

der **Gesichtsausdruck, -s, ⸚e** facial expression

das **Gesitze, -s** sitting

das **Gespräch, -s, -e** conversation

der **Gestalter, -s, -** creator

gestatten to permit

die **Geste, -, -n** gesture

gestehen (gestand, gestanden) to admit, tell

gestern yesterday; **gestern abend** yesterday evening, last night. **Bin ich vielleicht von gestern?** Where do you think I've been all this time?

gestikulieren to motion, gesticulate

gestrig: der gestrige Autounfall the automobile accident of the day before

gewaltig powerful(ly)

gewaltsam with the use of force

gewandt clever(ly), adroit(ly)

gewillt willing, disposed; **gewillt sein** to intend

gewinnen (gewann, gewonnen) to win

die **Gewinnummer, -, -n** winning number

das **Gewissen, -s** conscience

sich (acc.) **gewöhnen an** (with acc.) to adapt to; **sich dran gewöhnen** to adapt to the situation

gewöhnlich usual(ly)

glänzend excellent, brilliant

das **Glanzstück, -s, -e** excellent item or example

glatt flatly

glauben (with dat. of person) to believe, think. **Ich selber glaube nicht daran, daß hier eine Räuberhöhle in**

der Villa verborgen ist. I myself don't believe that a den of thieves is concealed in this villa.

gleich (short form of **sogleich**) immediately, right away, right now, directly; **gleich direkt** direct(ly), straight; **nicht gleich** not earlier, not in the first place; **gleich ins Reine** in final form straightway

gleichzeitig at the same time

das **Glück, –es** (good) luck, (good) fortune, happiness; **das einzige Glück im Unglück** the only fortunate part about the misfortune; **das große Glück in der Mittagsstunde** (astrological expression) exceptional bit of good luck at noon; **zum Glück** fortunately; **Glück haben** to be fortunate, in luck. **Ein Glück, daß du kommst.** How fortunate that you have come.

glücklich happy, fortunate

glücklicherweise fortunately

glückstrahlend beaming with happiness

gnädig gracious; **gnädige Frau** madam; **gnädiges Fräulein** Miss

gold (adj.) gold(en)

das **Gold –es** gold

goldblond golden blond

der **Goldschmied, –s, –e** goldsmith

der **Goldschnitt: mit Goldschnitt** with gilt edges

gräßlich terrible

greifen (griff, gegriffen) nach to reach for

grinsen to grin

der **Groschen, –s,** – one tenth of one West German Mark, the equivalent of ca. $0.025

der **Groschenbettler, –s, – Groschen** beggar

groß great, big, large, tall, grand, main, important; **die große Diele** the entrance hall; **große Scherereien machen** to cause a lot of trouble; **in großen Sprüngen** in leaps and bounds; **die größte Aussicht** the best chance

die **Großfahrt, –, –en** great or grand trip

die **Großstadt, –, ⁻̈e** large city

grün green

der **Grund, –es, ⁻̈e** reason, cause; **auf Grund dieser Beobachtung** on the basis of this observation; **aus irgendeinem Grund** for some reason or other, for any reason

das **Grunewaldwasser, –s (= der Grunewaldsee)** Lake Grunewald

die **Gruppe, –, –n** group; **in zwei Gruppen zu je drei Mann** into two groups of three "men" each

der **Gruß, –es, ⁻̈e** greeting

die **Grütze,** – groats; **Grütze im Kopp haben** to be clever

das **Gummiband, –s, ⁻̈er** rubber band

gut good, well; **der gute Karl May** good old Karl May;

ganz schön und gut fine and dandy; **noch nicht gut** hardly already; **gute Miene zum bösen Spiel machen** to make the best of a bad bargain. **Es ist gut.** That's fine.

das **Gut, –es, ⸚er** property; **Hab und Gut** belongings

gutmütig good-natured, nice little

H

ha ah, aha

die **Haarmähne, –, –n** head of hair

der **Haarschnitt, –s, –e** hair style; **der amerikanische Haarschnitt** crew-cut

der **Haarschopf, –s, ⸚e** (tuft of) hair.

die **Habe, –** possessions; **Hab und Gut** belongings

haben (hat, hatte, gehabt) to have; **recht haben** to be right; **Aufenthalt haben** to stop, stay. **Was haben Sie denn?** Tell me, what is the matter with you? What do you mean? **Sie haben keine so große Eile.** They aren't in such a great hurry.

hacken to chop, hack; **Gehacktes** chopped meat

haha haha

halb (adj.) half; **halb vier** half past three

die **Hälfte, –, –n** (noun) half; **von meiner Hälfte** with my half

hallen to resound

der **Hals, –es, ⸚e** neck, throat; **einem um den Hals fallen** to embrace somebody

halten (hält, hielt, gehalten) to hold, stop; **sich** (acc.) **tapfer halten** to be brave; **die Klappe halten** (sl.) to shut up, stop talking. **Ich halte sie für'ne Gangsterbraut!** I take her for a gun moll!

das **HALT-Schild, –s, –er** stop sign

die **Hand, –, ⸚e** hand; **an Hand der Gesamtfahrzeit** proceeding from the total traveling time; **eine Schöpfung aus der Hand Wilhelm Gutsmanns** a creation of Wilhelm Gutsmann; **aus zweiter Hand** second-hand; **in irgendeiner westlichen Hand** in the hands of any of the Western powers

der **Händedruck, –s, ⸚e** handclasp, handshake

handeln to act

der **Handschuh, –s, –e** glove

die **Handtasche, –, –n** handbag

hangen/hängen (hängt, hing, gehangen) an (with dat.) (intrans.) to hang from; **hangen über** (with dat.) **to** hang, dangle from

hängen (trans.) to hang; **sich** (acc.) **in seinen Arm hängen** to take his arm

harmlos harmless

hart hard

die **Hast, –** haste

die **Haupteslänge, –, –n** head's length, head
das **Hauptfach, –s, ⸚er** chief, major subject
der **Hauptpunkt, –s, –e** chief, main point
die **Hauptschuld, –, –en** chief guilt, responsibility
die **Hauptstraße, –, –n** main street, thoroughfare
die **Hauptverkehrsader, –, –n** chief traffic thoroughfare
die **Hauptverkehrszeit: in der Hauptverkehrszeit** during rush hours
das **Haus, –es, ⸚er** house, home; **nach Hause gehen** to go home; **zu Hause sein** to be at home; **schon zu Hause** back home already
hausen to live, dwell
die **Haustür, –, –en** front door
die **Haut, –, ⸚e** skin
heftig vigorous(ly)
die **Heimat, –** home
heim-kehren (ist) to return home
heimlich secret(ly), on the sly
heiß hot
heißen (hieß, geheißen) to be called, mean; **das heißt** that is, that means, I mean. **Was heißt hier „na also"?** What is the meaning of **na also** in this context?
helfen (hilft, half, geholfen) (with dat.) to help; **sich** (dat.) **selber helfen** to help themselves; **sich** (dat.) **gegenseitig helfen** to help each other
hellgekleidet wearing a bright outfit
hellgelb bright yellow
hellgrün bright green
der **Hellseher, –s, –** clairvoyant, psychic person
her: von Wannsee her from (the direction of) Wannsee; **hinter** (with dat.) after or behind a person
herab: sehr von oben herab quite condescendingly
heran-wachsen (wächst heran, wuchs heran, ist herangewachsen) zu to turn into
heraus-brechen (bricht heraus, brach heraus, ist herausgebrochen): Da aber brach es (impers.) **aus Fräulein von Klinken heraus:** But then Miss von Klinken burst out with the words:
heraus-bringen (brachte heraus, herausgebracht) to utter, say
heraus-dringen (drang heraus, ist herausgedrungen) aus to shine forth, come from
heraus-fordern to challenge, incite
heraus-holen to take out
heraus-kommen (kam heraus, ist herausgekommen) aus to come or get out of
heraus-nehmen (nimmt heraus, nahm heraus, herausgenommen) to take out, remove
heraus-sprudeln aus: Es (impers.) **sprudelt aus Schnock**

heraus: Schnock blurts out the following:

heraus-ziehen (zog heraus, herausgezogen) to pull out, pick up

herbei-schleppen to pull along

der **Herbst, –es, –e** fall, autumn

herein-brechen (bricht herein, brach herein, ist hereingebrochen) über (with acc.) to descend on

herein-kommen (kam herein, ist hereingekommen) to come in

her-hören: Mal herhören! Listen to me for a moment.

der **Hering, –s, –e** herring

her-kommen (kam her, ist hergekommen) to come here

der **Herr, –n, –en** gentleman, master, Mr.; **meine Herren,** gentlemen; **der alte Herr** the "old man," father

die **Herrschaften, –** (ladies and) gentlemen

herrschen to prevail, reign

herum: um (with acc.) **herum** around; **im Kreise herum zeigen** to pass around

herum-reißen (riß herum, herumgerissen) auf (with acc.) to jerk around to

herunter-holen to take down, remove

das **Herz, –ens, –en** heart; **sich** (dat.) **ein Herz fassen** to take courage

heute today; **heute nachmittag** this afternoon

heutzutage nowadays, these days

der **Hexámeter, –s, –** hexameter, verse form consisting of six feet

hier here, in this situation or context; **das hier** this; **das Haus hier** this house; **hier draußen** out here, out there

hierher here (hither)

hierüber about this; **sich** (dat.) **hierüber Klarheit verschaffen** to have this matter cleared up

die **Hilfe, –** help

der **Himmel, –s, –** heaven, sky

hin: vor sich (acc.) **hin** (talking) to oneself, straight ahead; **durch den Mittelgang hin** through the center aisle

hinauf-rennen (rannte hinauf, ist hinaufgerannt) to run up

hinauf-rufen (rief hinauf, hinaufgerufen) to call up

hinaus: über Steglitz (acc.) **hinaus** beyond Steglitz

hinaus-eilen to hurry out

hinaus-führen to lead out

hináus-posáunen to blare out

hinein: in (with acc.) **hinein** into

hinein-gehen (ging hinein, ist hineingegangen) in (with acc.) to go into

hinein-kommen (kam hinein, ist hineingekommen) to come or go inside

hinein-rufen (rief hinein, hineingerufen) in (with acc.) to interject

hin-rasen (ist) to race there

hinten (adv.) behind, in back; **ganz hinten** all the way back; **nach hinten** to the rear; **weiter nach hinten** further back; **hinten im Garten** in the backyard

hinter (prep. with acc. or dat.) behind, in back of, after, from behind; **hinter** (with dat.) **her** after or behind a person

hinter- (adj.) rear

hintereinander: dreimal hintereinander pfeifen to whistle three times in succession

der **Hintergrund, –s** background; **weit im Hintergrunde des Gartens** way back in the garden

das **Hinterhaus, –es, ⁻̈er** building located some distance back from the street

hinterher: Nichts wie hinterher! There's nothing to do but follow her.

der **Hinterhof, –s, ⁻̈e** back court

hin und her back and forth; **hin- und her-fahren** to make a round trip; **hin und her rutschen** to squirm, slide back and forth

hinzú-fűgen to add (in speech)

hinzú-légen (with dat.) to add to

hinzú-sétzen to add (in speech)

hoch [ho:x] high(ly), tall, lanky; **höchstens** at most, at best

die **Hochachtung: Meine Hochachtung, Komparativ!** With all due respect, **Komparativ.** You're really something, Komparativ.

das **Hochzeitsgeschenk, –s, –e** [hɔx–] wedding gift

hoffentlich (adv.) I hope, it is to be hoped

die **Hoffnung: Hoffnung auf** (with acc.) hope of, for; **große finanzielle Hoffnungen setzen auf** (with acc.) to have high financial hopes for; **voller Hoffnung auf** (with acc.) optimistic about

höflich courteous(ly); **höflichst** most respectfully

die **Höflichkeit, –** courtesy

holen to get; **sich** (dat.) **holen,** to get for oneself

das **Holz, –es, ⁻̈er** wood

die **Holzbank, –, ⁻̈e** wooden seat

hören to hear. **Hör' mal!** Just listen.

der **Hörer, –s, –** telephone receiver

der **Hosenknopf, –s, ⁻̈e** trouser button

der **Hot, –es** "hot" music

der **Hund, –es, –e** dog

hundert hundred

hungern to hunger; **hungernd** hungry, starving

hungrig hungry

das **Hupen, –s** honking

huschen (ist) to flit, slip

I

ich (meiner, mir, mich) I, me, myself

die **Idee, –, –n** idea

idýllisch idyllic, rustic

ihr (euerer, euch) (fam. pl.) you, yourselves

ihr- (poss.) her, hers, its
ihr- (poss.) their, theirs
Ihr- (poss.; pol. sing. and pl.) your, yours
immer always, all the time, consistently; **immer noch** still; **noch immer** still; **immer wieder** again and again; **immer toller** stranger and stranger, crazier and crazier
immerhin after all, anyhow, however, just the same, still
in (with acc. or dat.) in, into, at, to, on, during; **in der Schule** at school; **in der Gartenstraße** on Garten Street; **in erster Linie** primarily
indem as, while; **indem er sein Büchergeld unter die Nachbarn verteilte** as he distributed, (while) distributing his book money among the Neighbors. **Er verdiente das nötige Geld, indem er fleißig arbeitete.** He earned the necessary money by working hard.
der **Indiáner, –s, –** American Indian
infolgedessen consequently
inmitten (with gen.) in the middle or midst of
die **Innenstadt, –** central part of the city
innerhalb: innerhalb von (with dat.) within
das **Interesse, –s, –n** interest; **in deinem Interesse** in your best interest
interessieren to interest; **sich** (acc.) **interessieren für** to be interested in; **die andern sportlich Interessierten** the other sports enthusiasts
die **Inventúr, –, –en** inventory; **Inventur machen** to take inventory
inzwischen meanwhile
irgendein- any, some, some or other; **auf irgendeine Weise** in any way; **aus irgendeinem Grund** for some reason or other, for any reason
irgendetwas anything, something, something or other
(das) **Itálien** Italy
die **Itálienfáhrt, –** trip to Italy
italiénisch Italian

J

ja yes; indeed, to be sure, of course; after all, still, anyhow, anyway, really; all right, but, well, just, quite, why; **ja richtig** that's right. **Das Haus hier liegt ja ganz einsam an der Ecke.** As you can see, this house stands on the corner all by itself. **Sie gehen ja nach Hause.** You are going home, aren't you?
die **Jagd, –, –en** hunt, chase, pursuit; **die Jagd nach** the hunt for
das **Jahr, –es, –e** year
das **Jahrhúndert, –s, –e** century
der **Jammer, –s** misery

jammern to lament, moan, complain
jawohl yes indeed; yes, sir
der **Jazz, –es** [dʒæz] jazz
je: je lauter, desto kleiner the louder, the smaller; **zu je drei Mann** of three "men" each
jedenfalls in any case
jeder each, each one, every, everyone, everybody, any, anyone, anybody
jedesmal every time, always
jedoch however
jemand someone, somebody, anyone, anybody; **noch jemand** anybody else
jener that, that one, those, the former; **jener Zug X** our train X
jenseits (with gen.) beyond, on the other side of
jetzt now, then, at that time; **jetzt nicht mehr** not any more; **jetzt wo** now that, since
das **Jot, –es, ⸚ter** "J"
juchhú hurrah
die **Jugendgruppe, –, –n** youth group, organization
jung young; **beim Jüngsten Gericht** at the Last Judgment, on Doomsday
der **Junge, –n, –n** boy, lad; **die Jungs** (colloq. pl.) the boys

K

das **Kábel, –s, –** wire, cord, cable
der **Kamerád, –en, –en** comrade, friend, companion
die **Kamerádschaft, –** friendship
der **Kampf, –es, ⸚e** battle, struggle
kämpfen to struggle
der **Kannibále, –n, –n** cannibal
kapútt broken down, out of order
die **Karre, –, –n** (sl.) bicycle; actually, "cart"
die **Kartóffel, –, –n** potato
der **Kartóffelsáck, –s, ⸚e** bag of potatoes
der **Kartón, –s, –s** or **–e** [kartɔ̃́ː, kartóːn] cardboard box
der **Kassenzettel, –s, –** sales slip
die **Kastánie, –, –n** chestnut tree
der **Kasten, –s, –** or **⸚** box, container, bin
kauen an (with dat.) to chew on
kaufen bei to buy from or at; **sich** (dat.) **kaufen** to buy for oneself
der **Käufer, –s, –** buyer, purchaser
kaufmännisch: der kaufmännische Lehrling business apprentice
der **Kegelbruder, –s, ⸚** bowling partner
der **Kehricht, –s** sweepings, dirt, trash. **Das geht Sie einen feuchten Kehricht an** (sl.). That's none of your business.
kein- no, not a(n), not any, not one, none, nobody, no one
keineswegs by no means, not at all
der **Keller, –s, –** cellar, basement
kennen (kannte, gekannt) to know, be acquainted or

familiar with; **keinen Spaß kennen** to stand for no foolishness

der **Kenner, –s, –** expert, connoisseur

kess (sl.) lively, "salty," "sharp"

keuchen to pant

Kgl. (abbrev. for **Königlich**) royal

die **Kiefer, –, –n** pine tree

der or das **Kilométer, –s, –** kilometer, approximately 0.6 of a mile

das **Kind, –es, –er** child, "kid"

die **Kiste, –, –n** box, container; car (sl.), "rod," jalopy

das **Klammeräffchen, –s, –** (sl.) (female) backseat rider on a motorcycle

die **Klappe, –, –n** (sl.) mouth, "trap"; **die Klappe halten** to shut up, stop talking

klar (with dat.) clear; **sich** (dat.) **klar werden über** (with acc.) to make up one's mind about something

die **Klarheit: sich** (dat.) **hierüber Klarheit verschaffen** to have this matter cleared up

die **Klasse, –, –n** class

die **Klassenarbeit, –, –en** test

der **Klássenkamerád, –en, –en** classmate

der **Klassenlehrer, –s, –** homeroom teacher

der **Klassenpauker, –s –** (st. sl.) homeroom teacher

klauen (sl.) to steal, snitch; **heimlich klauen** to make off on the sly with

das **Klavíer, –s, –e** piano

kleiden to clothe, dress

klein small, little, petty, short, slight; **ein klein wenig zögernd** just a bit hesitantly

das **Kleingeld, –s** change

die **Kleinigkeit, –, –en** trifle; **eine Kleinigkeit** a bit, a little, a slight favor

kleinlich petty

die **Klingel, –, –n** doorbell

klingeln to ring (the doorbell)

das **Klingeln, –s** ring, ringing

das **Klingelzeichen, –s, –** ring

klingen (klang, geklungen) wie to sound like

der **Klugschnacker, –s, –** (st. sl.) "smarty"

das **Klugschnackerspiel, –s, –e** name-calling contest

der **Knacks, –es, –e** crack, damage

der **Knall, –es, –e** bang

knallen: Es (impers.) **knallte fast gar nicht.** There was hardly any bang at all.

knapp concise; **vor einer knappen halben Stunde** barely or only a half hour ago

knattern to sputter

der or das **Knäuel, –s, –** cluster

die **Knollennase, –, –n** pug nose

der **Knopf, –es, ¨–e** button, knob, switch

das **Knopfloch, –es, ¨–er** buttonhole

knorke (dial.) "great"

die **Köchin, –, –nen** (female) cook

der **Koffer, –s, –** carrying case

das **Köfferchen, -s -** (small) carrying case
die **Kohle, -, -n** coal
die **Kolónne, -, -n** column, gang, group, party
das **Kolosseum, -s** Colosseum, amphitheater in Rome
der **Kombiwagen, -s, -** station wagon
komisch comical, funny, odd, strange
kommandieren to command
die **Kommandostimme, -, -n** drill sergeant's voice
kommen (kam, ist gekommen) to come, go, walk, pass, occur; **zum Vorschein kommen** to appear. **Peter** (dat.) **kam die Bedeutung erst so richtig zu Bewußtsein.** For the first time Peter became really aware of the significance in this way. **Kommt ja gar nicht in Frage!** That's completely out of the question, really. **Das wird Ihnen teuer zu stehen kommen.** You will pay dearly for this.
der **Kommissár, -s, -e** detective chief
der **Komparatív, -s** comparative degree, also a nickname
kompliziert: ungewöhnlich kompliziert in an extremely complicated way
das **Kondítern, -s** feasting
das **Konfékt, -s, -e** candy
können (kann, konnte, gekonnt or **können)** can, to be able, may. **Ich konnte mir schon denken, daß . . .** I knew all right that . . . **Das konnte man sich ja auch gleich sagen.** I might have known.
konstruieren to construct
der **Kontrást, -s, -e** contrast
die **Kontrólle, -, -n** inspection
kontrollíeren to inspect
der **Kopf, -es, ⸗e** head. **Er nickte mit dem Kopf.** He nodded his head.
die **Kopfbewegung, -, -en** head movement
das **Kopfnicken: durch heftiges Kopfnicken** by nodding their heads vigorously
kopfschüttelnd shaking her head
der **Kopp** (dial. for **der Kopf**) head
der **Korridor, -s, -e** corridor, hall
der **Kosename, -ns, -n** term of endearment
kosten to cost
der **Kotflügel, -s, -** fender
kräftig strong, powerful
kramen to rummage
krank ill, sick
das **Krankenhaus, -es, ⸗er** hospital
das **Kräuselhaar, -es, -e** kinky hair
der **Kreis, -es, -e** circle; **im Kreise herum zeigen** to pass around
kreuz: kreuz und quer lengthwise and across
die **Kreuzung, -, -en** intersection
der **Krieg, -es, -e** war
kriegen to get, obtain, have

der **Kriminálkommissár, –s, –e** detective chief
die **Küche, –, –n** kitchen
der **Küchenschrank, –s, ¨–e** kitchen cupboard
der **Küchenstuhl, –s, ¨–e** kitchen chair
der **Kummer, –s** grief, concern
sich (acc.) **kümmern um** to concern oneself with, worry about
die **Kúndenkartéi, –** customer card file
die **Kundschaft, –** customers, clientele
der **Künstler, –s, –** artist
die **Kurve, –, –n** turn-off
kurz short, brief(ly); **kurz entschlossen** with swift resolve, without hesitating. **Er steht kurz vor der Prüfung.** He is about to take the examination.
kurzerhand without further ado, immediately
kurzsichtig near-sighted
der **Kurzzug, –s, ¨–e** short train, train with only a few cars
der **Kuß, –(ss)es, ¨–(ss)e** kiss

L

lächeln to smile
das **Lächeln, –s** smile
lachen über (with acc.) to laugh at
das **Lachen, –s** laugh, laughing; **vor Lachen** from laughing, with laughter
der **Laden, –s, ¨–** store, shop
der **Ladentisch, –es, –e** store counter
das **Lager, –s, –** camp
der **Lampion, –s, –s** [lɑ̃pĭɔ̃́ː, lampĭóːn] Chinese lantern
das **Land, –es, ¨–er** land, country, rural area; **auf dem Lande** in the country
landen (ist) to land, end up
ländlich rustic
lang (adj.) long, tall, lanky; **eine längere Rede** a lengthy speech
lang(e) (adv.) for a long time; **schon lange** long since; **so lange** that long, for that length of time, long enough; **schon so lange** for such a long time now; **eine Weile lang** for a while or moment
langen to suffice. **Jetzt langt's** (impers.) **mir aber!** But now I've had enough!
langsam slow(ly)
der **Langzug, –s, ¨–e** long train, train with many cars
lassen (läßt, ließ, gelassen or lassen) to allow, let, permit, leave, cause (something to be done); **liegen lassen** to leave lying; **gerne fünfe gerade sein lassen** to take matters in one's stride, close one's eyes to something, be willing to stretch a point. **Er läßt die Suchkolonne in den Zug einsteigen.** He has the search party board the train. **Und da habe ich mir ein Spezialtonbandgerät**

konstruieren lassen. And so I had a special tape recorder built for myself. **Auf jeden Fall lasse ich von mir hören.** In any case, you will hear from me (I will let you hear from me). **Laß nur!** Just relax.

laufen (läuft, lief, ist gelaufen) to run, walk. **Der Komparativ läuft mit ein paar Schritt Abstand hinter ihr her.** Komparativ keeps a few steps behind her.

die **Laune, –, –n** mood; **mit guter Laune** in a good mood

laut loud(ly), out loud; **laut rufen** to exclaim, shout

lauten: Heute lautete der Rundruf: Today the text of the general call was as follows:

leben to live, be alive

das **Leben, –s, –** life

die **Lebensmittel, –** food, groceries

lebhaft quickly, at a lively pace

leer empty

legen to lay, put, place. **Peter legte sich** (acc.) **in die Pedale.** Peter really made the pedals turn.

der **Lehrer, –s, –** teacher

der **Lehrling, –s, –e** apprentice

die **Leibeskraft: aus Leibeskräften** with all his might

leicht easy, easily, slight(ly)

leider unfortunately

leihen (lieh, geliehen) to lend

leise soft(ly), quiet(ly); **auf leisen Sohlen** on tiptoes, very quietly

lernen to learn

lesen (liest, las, gelesen) to read

letzt last, latest, most recent

leuchtendst- brightest, most flaming

die **Leute, –** people; **keine Leute** nobody

das **Licht, –es, –er** light. **Mir ging sofort ein Licht auf.** The truth dawned on me at once.

lichten to thin

der **Lichtschein, –s** light

der **Lichtstrahl, –s, –en** light **ray**

lieb dear

lieben to love, like

liebenswürdig kind, amiable

lieber (comp. of **gern**) preferably. **Sie spielten lieber Fußball.** They preferred playing soccer. **Aber wollen wir nicht doch lieber hier aussteigen?** But wouldn't we really do better to get off here? **Da kannst du ja lieber gleich direkt unser Geld auf den Mars schießen!** Why, in that case you might as well shoot our money straight to Mars!

liebevoll loving(ly)

das **Lieblingsbuch, –s, ¨–er** favorite book

am liebsten (superl. of **gern**): **Er wäre am liebsten in den Erdboden versunken.** He would have liked most to sink into the ground.

liefern to supply. **Er bekam sie durch mich geliefert.** He received them through me. I supplied him with them.

liegen (lag, gelegen) to lie, be, be located, stand; **liegen lassen** to leave lying; **nach der Straße zu gelegen** facing the street; **wenn die Sache so liegt, wie Sie sagen** if it's as you say

die **Linie, –, –n** line; **auf zwei Linien** along two lines; **in erster Linie** primarily, in the first place

link- left; **links** to or on the left; **links neben ihr** to the left of her

listig crafty, cunning, shrewd, sly

los: Also los! Well, get going. **Was ist denn hier los?** Tell me, what is wrong here (what has happened here)?

das **Los, –es, –e** lot, fate, lottery, lottery prize, lottery ticket; **das große Los** grand prize, ticket for the grand prize

der **Losgewinn, –s** lottery prize or proceeds

die **Loshälfte, –, –n** half of the lottery prize; **von meiner Loshälfte** with my half of of the lottery prize

los-lassen (läßt los, ließ los, losgelassen) to let go

los-schreiben (schrieb los, losgeschrieben): fleißig drauf losschreiben to begin to write for all one is worth

das **Losungswort, –s, ⸚er** watchword, password

die **Lotteríe, –, –n** lottery; **Lotterie spielen** to buy lottery tickets

das **Lotteríelós, –es, –e** lottery ticket

der **Löwenanteil, –s** lion's share

die **Luft, –, ⸚e** air; **die Luft anhalten** (st. sl.) to shut up, stop "gassing"; **an die Luft setzen** to throw out, get rid of. **Die Luft ist rein.** The coast is clear.

die **Lúftabwehrrakéte, –, –n** defensive missile

die **Lust, –, ⸚e** (with **zu**) desire, longing, urge, yen

M

machen to make, do; **einen Botengang machen** to run an errand; **ihre Doktorarbeit machen** to prepare her doctoral dissertation; **seinen Führerschein machen** to pass his driving test, get his driver's license; **zu Geld machen** to convert to cash; **große Scherereien machen** to cause a lot of trouble; **gute Miene zum bösen Spiel machen** to make the best of a bad bargain; **Inventur machen** to take inventory; **schnell machen** to hurry; **einen Suchplan machen** to formulate a search plan; **sich** (acc.) **verdächtig machen** to act suspiciously.

Ich mache Sie darauf (antic.) **aufmerksam, daß . . .** I call your attention to the fact that . . .

das **Mädchen, –s, –** girl

das **Mädel, –s, –s** girl

das **Mal, –es, –e** time, occurrence; **zum ersten Mal,** for the first time; **ein paarmal** a few, several times

mal (adv.) only, just, simply, after all, for a change, for a moment; **mal wieder** once more; **nicht mal** not even; **mal daran riechen** to get a whiff of it; **wer mal eine Hilfe braucht** whoever happens to need help. **Erzählen Sie mal, was eigentlich los ist!** Do tell what really has happened.

die **Mama, –, –s** mother, mummy

man (seiner, einem, einen) (impers. pron.) one, a person, somebody, someone, people, they, you. **Man hörte nur in der Ferne das Hupen einiger Autos.** Only the honking of several autos at a distance could be heard. **Keine Ahnung haben sie, wo einen der Schuh drückt.** They have no notion of what is wrong with a person.

man (adv.) just

manch- many a(n), some; **so manche** so many

manchmal sometimes, at times, occasionally

die **Maniér, –, –en** manner

der **Mann, –es, ¨–er** or **–** man, husband. **Es bleiben sechs Mann.** Six "men" are left.

das **Männchen, –s, –** little man

der **Männe** (dial. for **der Mann**) man, husband, "hubby"

die **Männerstimme, –, –n** male voice

das **Manuskrípt, –s, –e** manuscript, text, script

die **Mark, –, –** unit of currency; one West German Mark = ca. $0.25

markieren to play the part of

die **Markttasche, –, –n** shopping bag

der **Mars, –es** Mars

der **Marsbewohner, –s, –** inhabitant of Mars, Martian

der **Marsch, –es, ¨–e** march; **in Marsch setzen** to dispatch

marsch (interj.) Get going!

die **Mathematík, –** mathematics

der **Mathematíkstudént, –en, –en** mathematics major

der **Mathemátikus** (Latin form of **der Mathematiker**) mathematician

das **Maul, –es, ¨–er** (colloq.) mouth; **wie sie dem „Volke aus dem Maul kommen"** such as the common people use

maulen (colloq.) to pout

meckern to bleat

die **Medizín, –** medicine

das **Mehlfaß, –(ss)es, ¨–(ss)er** flour bin

mehr (comp. of **viel**) more; **nicht mehr** no more, not any more, no longer, not any longer; **kein Sitzplatz mehr** not another seat, no more seats

mein- my, mine

meinen to mean, think, say, express an opinion; **damit meinen** to mean by that

die **Meinung, –, –en** opinion. **Der Meinung sind wir auch.** We are of the same opinion.

meist- (superl. of **viel**) most; **meist** mostly, generally, usually, for the most part; **die meisten Bände** most of the volumes; **meistens** mostly, generally, usually, for the most part

melden to announce, report; **sich** (acc.) **melden** to answer; **sich** (acc.) **zum Wort melden** to speak up

die **Memoiren,** – [memŭɑ́:rən] memoirs

die **Menge, –, –n** (large) number or quantity, crowd

der **Mensch, –en, –en** person, human being, man; **jeder Mensch** everybody; **kein Mensch** nobody; **die Menschen,** the people

der **Menschenfresser, –s –** cannibal

der or das **Menschenknäuel, –s, –** cluster of people

menschenleer void of people. **Die Straße war menschenleer.** There was nobody on the street.

die **Menschheit,** – mankind, humanity

merken to note, notice, see; **sich** (dat.) **etwas merken to** remember something

merkwürdig remarkable, strange

merkwürdigerweise strangely or oddly enough

das **Messer, –s, –** knife; **auf des Messers Schneide** on the border

das **Méßinstrumént, –s, –e** measuring device or instrument

der or das **Meter, –s, –** one meter = approximately 3.28 feet; **an die zwanzig Meter** about twenty-two yards

die **Miene, –, –n** facial expression, countenance; **gute Miene zum bösen Spiel machen** to make the best of a bad bargain

der **Mieter, –s, –** tenant

das **Mietshaus, –es, ¨–er** apartment house

das **Mikrofon, –s, –e** microphone

mindestens (superl. of **wenig)** at least

die **Minúte, –, –n** minute

mißlingen (mißlang, ist mißlungen) (with dat.) to fail, prove impossible. **Es** (impers.) **mißlingt mir.** I fail.

mit (prep. with dat.) with; **mit dem Wagen fahren** to go by car, drive the car; **mit dem Zug fahren** to go by train, ride on the train, take the train; **das mit der „Polente“** what you said about the **Polente; mit dem Kopf nicken** to nod one's head. **Der Komparativ läuft mit ein paar Schritt Abstand hinter ihr her.** Komparativ keeps a few steps behind her.

mit (adv.) along; **sich** (dat.) **mit ansehen** to stand for; **auch mit von der Partie sein** to go along on the outing

mit-bringen (brachte mit, mitgebracht) to bring back or home

miteinander with each other, together

das **Mitglied, –s, –er** member

mit-helfen (hilft mit, half mit, mitgeholfen) to help out

mit-kommen (kam mit, ist mitgekommen) to come along

mit-lachen to laugh along

das **Mitleid, –s** sympathy; **Mitleid haben mit** to sympathize with

der **Mitreisende (ein Mitreisender), –n, –n** fellow passenger

der **Mitschüler, –s, –** classmate

das **Mittagessen, –s, –** lunch

die **Mittagsstunde: in der Mittagsstunde** at noon

die **Mitte, –** middle, center; **auf die Mitte der Kreuzung fahren** to go right through the intersection

der **Mittelgang, –s, ⸚e** center aisle

der **Mittelschüler, –s, –** pupil in an intermediate school

mitten: mitten in (with dat.) in the midst or middle of

mittler–: Prüfung der mittleren Reife examination for the intermediate school diploma

mittlerweile meanwhile

das **Möbel, –s, –** piece of furniture

das **Móckatássen-Servíce, –s, –s** [-sɛrví:s] demitasse service

das **Modéll, –s, –e** model

modérn modern; **der modernste Jazz** the latest jazz

mögen (mag, mochte, gemocht or **mögen)** may, can; to like, like to, care for, care to

möglich possible, possibly; **möglichst alle** as many as possible

die **Möglichkeit, –, –en** possibility

der **Monat, –s, –e** month

die **Monatskarte, –, –n** monthly pass, ticket

der **Mond, –es, –e** moon, satellite

das **Moped, –s, –s** motorbike

der **Mopedíst, –en, –en** (sl.) rider of a motorbike

der **Mótor, –s, –(tór)en** motor

der **Mótorróller, –s, –** motor scooter

die **Mücke, –, –n** gnat, mosquito; **wie eine Tüte Mücken angeben** to put on airs

mucksen to grumble

mucksmäuschenstill extremely quiet

die **Mühe, –, –n** effort, labor, trouble; **mit vieler Not und Mühe** with much trouble and effort, with great difficulty der **Mund, –es, –e** or **⸚er** mouth; **wie aus einem Munde** in chorus

die **Mundart, –, –en** dialect

das **Mundwerk, –s, –e** tongue, talk, mouth

murmeln to murmur, mumble

müssen (muß, mußte, gemußt or **müssen)** must, to have to

mustern to examine, size up, look over

der **Mut, –es** courage

die **Mutter, –, ⸚** mother

die **Muttersprache, –, –n** mother or native language, vernacular

der **Mutterwitz, –es, –e** native wit or humor

die **Mutti** (= **die Mutter**), **–, –s** mother, mummy, mom

N

na well; **na also** well then, come now

nach (prep. with dat.) after, according to, to; **nach Italien** to Italy; **nach Ost-Berlin ins Fundbüro** to the lost-and-found office in East Berlin; **nach hinten** to the rear; **nach vorn(e)** to the front; **auf dem Bahnsteig nach vorn** to the front end of the platform; **nach der Straße zu gelegen** facing the street; **ein Zug nach Nordbahnhof** a train for North Station; **greifen nach** to reach for; **suchen nach** to look for; **sehen nach** to look at; **die Jagd nach** the hunt for; **nach dem** (antic.) **zu urteilen, was Sie bisher geschrieben haben** judging from what you have written up to now

nach (postpos. with dat.): **unseren Berechnungen nach** according to our calculations

nach-äffen to ape, imitate, mimic, mock

nach-ahmen to imitate

der **Nachbar, –s** or **–n, –n** neighbor; "Neighbor," member of a gang

das **Nachbarhaus, –es, ⸚er** nearby house

die **Nachbarin, –, –nen** "Neighbor," girl member of a gang

der **Nachbarjunge, –n, –n** "Neighbor," boy member of a gang

nachbarlich neighborly

das **Nachbarmädchen, –s, –** "Neighbor," girl member of a gang

die **Nachbarschaft, –** neighborhood

nachdem (conj.) after

nach-denken (dachte nach, nachgedacht) to think, meditate, reflect. **Denken Sie mal sehr scharf nach!** Just think very hard.

nachdenklich thoughtful, suspicious. **Schnocks Bericht hatte ihn etwas nachdenklich gemacht.** Schnock's report had caused him to think a bit.

nach-folgen (ist) to follow, go

nach-forschen to determine

die **Nachforschung, –, –en** inquiry, search
nach-fragen to inquire
nachher afterwards, later
nach-kommen (kam nach, ist nachgekommen) (with dat.) to accept, comply with
der **Nachmittag, –s, –e** afternoon; **heute nachmittag** this afternoon
die **Nachmittagssonne, –** afternoon sun
die **Nachricht, –, –en** (piece of) information, news
der **Nachrichtendienst, –s** information service
nach-sehen (sieht nach, sah nach, nachgesehen) to take a look; **auf dem Fahrplan nachsehen** to look at or check the schedule
die **Nachsicht, –** tolerance
nächst- (superl. of **nah**) next
die **Nacht, –, ⸗e** night
die **Nadel, –, –n** pin, needle
nah(e): dem Weinen nahe (postpos. with dat.) on the verge of crying, about to cry
die **Nähe, –** vicinity; **in der Nähe des Ausgangs** near or next to the exit
näher (compar. of **nah**) nearer, closer, more closely, more carefully; **näher treten** to step closer, come in
sich (acc.) **nähren von** to live on
der **Name, –ns, –n** name
nämlich you see, for (conj.)
nanú well now
die **Nase, –, –n** nose. **Damit schlug sie ihm die Tür der Telefonzelle vor der Nase zu.** With these words she slammed the door of the telephone booth shut in his face. **Mir war nämlich gerade ein Zug vor der Nase weggefahren.** You see, I had just missed a train. **Der hatte eine feine Nase für sowas.** He had a keen sense for such things.
natürlich natural(ly), of course
der **Natúrpárk, –s, –e** natural park
ne (dial. for **nein**) no; **ne du** no, I tell you
neben (with dat.) near, next to, beside(s), after; **links neben ihr** to the left of her
nebenbei: ganz nebenbei quite incidentally, in passing
nebeneinander together
die **Nebenstraße, –, –n** side street
der **Neffe, –n, –n** nephew
negatív negative
der **Negerstamm, –s, ⸗e** negro tribe
nehmen (nimmt, nahm, genommen) to take; **an sich** (acc.) **nehmen** to take possession of; **in Anspruch nehmen** to ask for; **einen auf den Arm nehmen** to make fun of someone; **aufs Band nehmen** to record on tape; **Platz nehmen** to take a seat; sit down; **das Wort nehmen zu** to speak up about. **Aber**

woher das Geld nehmen? But where were they to get the money?

nein no

nennen (nannte, gennant) to name, call. **Wie nennt man dich?** What do they call you?

nervö́s nervous(ly)

nett nice(ly)

neu new(ly); **aufs neue** again; **das neueste Buch** the latest book

neugebacken: das neugebakkene Ehepaar the newly or recently married couple

die **Neugierde,** – curiosity

neugierig curious

neulich recently, the other day

neun nine

neunzehn nineteen

neunzig ninety

nicht not; **nicht wahr** isn't that right; **fast gar nicht** hardly at all; **erst recht nicht** even less

der **Nichtraucher, –s,** – non-smoker, non-smoking compartment

nichts nothing; **nichts als** nothing but; **nichts Besonderes** nothing special or unusual

nichtssagend: nichtssagend sein be insignificant

nicken to nod; **mit dem Kopf nicken** to nod one's head

nie never

niemand nobody, no one

nóbel noble, nobly. **Nobel geht die Welt zugrunde!** We might as well do it up right.

noch still, yet, even, also, in addition; **noch nicht** not yet; **noch nicht gut** hardly already; **noch nie** never yet, not yet; **noch immer** still; **immer noch** still; **noch eins** another thing, something else; **noch fünf Mark** five marks more; **noch einmal** again, once more; **noch im letzten Augenblick** at the very last moment; **noch rechtzeitig** just in the nick of time; **noch höher** still or even higher; **weder . . . noch** neither . . . nor; **gerade noch** barely, just; **noch erreichen** to succeed in catching; **noch sagen** to add; **noch wissen** to remember. **Wir haben nur noch eine Stunde und zehn Minuten Zeit.** We have only an hour and ten minutes left.

nochmals again

die **Not, –, ⸚e** need, distress, trouble; **mit vieler Not und Mühe** with much trouble and effort, with great difficulty

notfalls if necessary

notieren to note, jot down

nötig necessary

das **Notízbúch, –s, ⸚er** notebook

das **Nótquartiér, –s, –e** emergency, substandard quarters

not·tun (tat not, notgetan) to be necessary, of the essence, important

Nr. (abbrev. for **die Nummer)** number

die **Nummer, –, –n** number

nun now, well, now then, then; **nun mal** just, simply; **als . . . nun** after (conj.)

nur only, just, simply, nothing but. **Aber wo ist das Los denn nur?** But I wonder where the lottery ticket can be. **Sagen Sie's nur ehrlich!** Be honest about it now. **Ich habe heute nur so eine unbestimmte Angst.** It's just that I'm uneasy today for some unknown reason. **Nur ein paarmal habe ich einen Hund bellen hören.** Except that I heard a dog bark several times.

NV—NF (abbrev. for **Nicht verzagen—Nachbarn fragen!)** Don't despair. Ask the "Neighbors."

O

ob whether

oben up, upstairs, above; **oben auf** on top of; **von unten bis oben** from top to bottom, completely; **sehr von oben herab** quite condescendingly

obendrein in addition

der **Óbersekundáner, –s, –** student in his second from the last year at the **Gymnasium**

obwohl although

oder or; **entweder . . . oder** either . . . or

offenbar apparent(ly), evident(ly), obvious(ly)

öffentlich public(ly)

öffnen to open; **sich** (acc.) **öffnen** to be opened, open

oft often; **öfter** quite often, a number of times

ohne without; **ohne die junge Dame wiederzusehen** without seeing the young lady again

das **Ohr, –es, –en** ear

der **Ölgötze, –n, –n** dunce

der **Onkel, –s, –** uncle

das **Opfer, –s, –** sacrifice, victim; **ein Opfer bringen** to make a sacrifice

die **Ordnung, –, –en** order; **in Ordnung bringen** to settle, take care of

die **Organisiereréi, –** organizational activity, organizing

organisiert organized, planned, premeditated

der **Ort, –es, –e** or **¨–er** place

die **Ortspresse, –** local newspaper

der **Ostausweis, –es, –e** East German identification card

der **Ostbeamte (ein Ostbeamter), –n, –n** East German official

der **Ostflüchtling, –s, –e** refugee from the East

die **Ostmark, –, –** East German Mark

der **Ostpreuße, –n, –n** East Prussian

der **Óstséktor, –s** Eastern Sector

die **Ostzeitung, –, –en** East German newspaper

die **Ostzonenverwaltung,** – Eastern Zone Administration

P

das **Paar, –es, –e** pair; **ein paar** a few, several; **ein paarmal** a few, several times

das **Páckpapíer, –s** wrapping paper

das **Pakét, –s, –e** package

pampig (colloq.) fresh, impudent; **pampig werden** to get fresh, act up

der **Pantóffel, –s, –** or **–n** slipper

das **Papíer, –s, –e** (piece of) paper

das **Pappstück, –s, –e** ticket

parkartig formal

das **Parterre, –s, –s** [pɑrtér] ground floor

die **Partíe: auch mit von der Partie sein** to go along on the outing

passen to fit, be appropriate or suitable. **Sie paßt gar nicht in diese billige Umgebung.** She is quite out of place in this cheap setting.

passieren (ist) (with dat.) to happen to, arise, occur

der **Patenonkel, –s, –** godfather

die **Patrouille, –, –n** [pɑtrúlĭə] patrol

die **Patsche, –, –n** (colloq.) jam, fix, mess

der **Pauker, –s, –** (st. sl.) teacher

das **Pech, –es** pitch, bad luck; **ein verflixtes Pech** darned poor luck

pechschwarz pitch, coal or jet black

die **Pechsträhne, –, –n** run of bad luck

das **Pedál, –s, –e** pedal

die **Péllkartóffel, –, –n** potato in its jacket

der **Pennäler, –s, –** (st. sl.) schoolboy, student

pensioniert [pãsĭoní:rt] retired, pensioned off

per (Latin prep.): **per Anhalter fahren** to hitchhike

die **Personálien, –** name and address

die **Pfeife, –, –n** pipe

pfeifen (pfiff, gepfiffen) mit to blow on

der **Pfennig, –s, –** or **–e** 1/100 of one West German Mark; the equivalent of $0.0025

das **Pferd, –es, –e** horse; **Mit Piepe konnte man sonst Pferde stehlen.** Usually Piepe would go along with anything.

der **Pfiff, –es, –e** whistle

pflegen: Der Komparativ pflegte sich stets in wohlgesetzten Worten auszudrücken. Komparativ regularly (customarily, usually, consistently) expressed himself with well-chosen words.

pflichtgetreu dutiful, faithful to one's duty or task

das **Pfund, –es, –** or **–e** pound

pfundig (colloq.) colossal, great

phantasíevoll fantastic, imaginative

der **Philosóph, –en, –en** philosopher

phonétisch-germanístisch involving Germanic phonetics
das **Pianíssimo** (Italian), **–s, –s** very soft
das **Plakát, –s, –e** placard, poster
planen to plan
der **Platz, –es, ⸗e** place, square, seat; **Platz nehmen** to take a seat, sit down
plaudern to chatter
plötzlich sudden(ly)
die **Polénte, –** (sl.) police, "cops"
die **Politík: die große Politik** grand strategy
polítisch political
die **Polizéi, –** police
der **Polizéigriff: mit eisernem Polizeigriff** with the iron hold of the police
der **Polizíst, –en, –en** policeman
das **Portemonnaie, –s, –s** [pɔrtmɔnέ:] purse, wallet
das **Porzellán, –s** china, porcelain
die **Porzellánkíste, –, –n** china closet. **Vorsicht ist die Mutter der Porzellankiste.** An ounce of prevention is worth a pound of cure.
die **Porzellánmanufaktúr, –, –en** china-making company
der **Porzellántéller, –s, –** china plate
das **Prachtstück, –s, –e** choice item or book, show piece, beauty
praktisch practical, practicing; actually, in actuality, in reality, in practice; **ein praktischer Arzt** a general practitioner
die **Praxis, –** practice
preußisch Prussian
prima (colloq.; Latin): **Au prima, daß . . .** It was great of you to . . .
der **Primáner, –s, –** student in one of the last two years at the **Gymnasium**
das **Privátgespräch, –s, –e** personal telephone call
das **Probestück, –s, –e** example
der **Proféssor, –s, –(sór)en** professor
das **Profíl, –s, –e** profile, face
promovieren to confer or receive the degree of Ph.D.; **wenn ich zum Doktor promoviert bin** when I have received my Ph.D.
prosáisch prosaic(ally), matter-of-fact(ly), in humdrum fashion
protestieren to protest
provozieren to provoke, arouse
die **Prüfung, –, –en** examination, test
das **Públikum, –s** audience
das **Pummelchen, –s, –** fat little girl
pünktlich punctual(ly); **pünktlich um drei** at three o'clock sharp
die **Puppe, –, –n** doll

Q

quecksilbrig restless
quer: quer über (with acc.) straight or diagonally across; **kreuz und quer** lengthwise and across
die **Quittung, –, –en** receipt

R

das **Rad, –es, ⁻̈er** bicycle
radeln (colloq.) to ride a bicycle
der **Radfahrer, –s, –** bicycle rider
das **Rádio, –s, –s** radio; **im Radio** over the radio
der **Radler, –s –** (colloq.) bicycle rider
das **Rakétenbíld, –s, –er** picture or illustration of a rocket
der **Rakétenflúg, –s, ⁻̈e** rocket flight
der **Rakétenfórscher, –s, –** rocket expert or enthusiast
das **Rakétenmodéll, –s, –e** rocket model
der **Rand, –es, ⁻̈er** border, brink, edge, verge
die **Rasselbande, –, –n** (noisy) gang
rastlos restless
raten (rät, riet, geraten) to advise, guess
das **Rathaus, –es, ⁻̈er** city or town hall
ratlos helpless, perplexed
der **Räuber, –s, –** robber, thief
die **Räuberhöhle, –, –n** robbers' den, nest, or hide-out
rauchen to smoke
der **Raucher, –s, –** smoker, smoking compartment
das **Raucherabteil, –s, –e** smoking compartment
rauf-führen (short form of **herauf-führen,** dial. for **hinauf-führen)** to lead up, go up
der **Raum, –es, ⁻̈e** room, space
raus (short form of **heraus,** dial. for **hinaus) Raus!** Let's get off.
raus-holen (short form of **heraus-holen)** to get or take out
die **Rechenschaft: Rechenschaft über** (with acc.) accounting for
rechnen to reckon, count, compute; **damit** (antic.) **rechnen, daß . . . ,** to take into account the possibility that . . .
die **Rechnung, –, –en** bill, statement, account
das **Recht, –es, –e** right; **ein Recht haben auf** (with acc.) to have a right or be entitled to; **recht haben** to be right
recht (adj. or adv.) right, quite, rather, very, correctly; **erst recht nicht** even less
der **Rechtsanwalt, –s, ⁻̈e** attorney at law
der **Rechtsanwaltssohn, –s, ⁻̈e** son of an attorney at law
rechtzeitig: noch rechtzeitig just in the nick of time
die **Rede, –, –n** speech
reden to talk, speak
die **Redensart, –, –en** oral expression
die **Redeweise, –, –n** manner of speaking, speech mannerism
redselig talkative
reichen to extend, hand, hold out, be enough
die **Reife: die mittlere Reife** intermediate school diploma

die **Reihe, –, –n** row, line, number, series

rein (adj. or adv.) unadulterated, clear, pure(ly), strictly, exactly; **gleich ins Reine** in final form straightway. **Ihr seid ja die reinste Bundesfahne.** Why, you're the West German flag no less.

rein (adv.; short form of **herein,** dial. for **hinein**): **reingehen (ging rein, ist reingegangen)** to go or come in

die **Reinemachefrau, –, –en** charwoman, cleaning woman

die **Reise, –, –n** trip, journey; **eine Reise machen** to take a trip

reisen (ist) to travel, go

der **Reisende (ein Reisender), –n, –n** passenger, traveler

reißen (riß, gerissen) to tear, throw; **reißen aus** to snatch, tear, or whisk away from; **reißen schräg auf** (with acc.) to throw across onto

reizen to irritate

rennen (rannte, ist gerannt) to run, "take off"

das **Rennen, –s** chase, hunt, search

der **Rennfahrer, –s, –** racing cyclist

die **Reparatúr, –, –en** repair, repairing

reparieren to repair

der **Rest, –es, –e** remainder, rest, balance, change; **die Reste** remains

restlich remaining

restlos without any remains, completely

das **Resultát, –s, –e** result

retten to save, recover, rescue; **sich** (acc.) **gegenseitig um die Wette vorm Scheiterhaufen retten** to compete in rescuing each other from the stake

der or das **Rhabárber, –s, –** (colloq.) rhubarb, cheer, call

das **Rhabárber-Gemúrmel, –s, –** mumbled call or cheer

richten to direct, fix; **wie gebannt gerichtet auf** (with acc.) fixed or glued on something as if spell-bound

richtig correct, genuine, real, right, all right, O.K.; correctly, really; **das Richtige** the right or correct thing; **ja richtig** that's right

die **Richtung, –, –en** direction; **Richtung Friedenau** headed for Friedenau

riechen (roch, gerochen) an (with dat.) to smell; **mal daran riechen** to get a whiff of it

riesig huge, gigantic

die **Rinde, –, –n** bark

der **Rinnstein, –s, –e** gutter, curb

die **Rolle, –, –n** role; **keine Rolle mehr spielen** to be no longer important

rot (adj.) red; **rot werden** to blush

das **Rot, –es** (noun) red

rötlich reddish

routiniert experienced

rüber (short form of **herüber,** dial. for **hinüber**) over, across

der **Rücken, –s, –** back

die **Rückfahrt,** – return trip, way back; **bei der Rückfahrt** on the return trip

die **Rückkehr,** – return

die **Rückseite,** – back side; **in den Garten auf die Rückseite des Hauses** into the yard behind the house

der **Ruf, –es, –e** call

rufen (rief, gerufen) call (out), exclaim, shout, summon; **laut rufen** to exclaim, shout

die **Ruhe,** – calm, peace, quiet, rest. **Nun mal Ruhe!** Now just be calm.

die **Ruhepause: Ruhepause machen** to stop, stay

ruhig calm, quiet; **ruhig sein** to be quiet. **Geht man ruhig ins Arbeitszimmer zu den fliegenden Tassen!** Just go right ahead to the flying cups in the workroom.

sich (acc.) **rühren** to stir, move

die **Runde, –, –n** group; **in der Runde der Nachbarn** among the Neighbors

der **Rundruf, –s, –e** general call

rutschen: hin und her rutschen to squirm, slide back and forth

S

die **Sache, –, –n** affair, matter, situation, thing; **die Sache von gestern** the incident or accident that occurred yesterday; **mit sechzig Sachen** (sl.) at sixty kilometers an hour; **wenn die Sache so liegt, wie Sie sagen** if it's as you say

die **Sachlage,** – state of affairs, situation

sachlich matter-of-fact(ly)

der **Sack, –es, –̈e** bag, sack

saftig juicy

sagen to say, tell; **ja sagen** to admit; **noch sagen** to add; **sagen wollen** to want or try to say, mean; **um nicht zu sagen Dreck** I might even say, none of your darned business; **genauer gesagt** more correctly; **wenn ich es sage** when I say so. **Sagen Sie's nur ehrlich!** Be honest about it now. **Das konnte man sich ja auch sagen.** I might have known.

der **Salón, –s, –s,** [sɑlɔ̃́ː, zɑlóːn] drawing room, elegant living room

das **Salzfaß, –(ss)es, –̈(ss)er** salt shaker

samt (with dat.) (together) with

sanft gentle, gently, smooth(ly)

der **Sang, –es** singing

die **Satellítenrakéte, –, –n** satellite rocket

der **Satz, –es, –̈e** sentence, clause; der **Sátzakzént, –s, –e** sentence stress

die **S-Bahn** (short form of **Stadtbahn**), – city railway

die **S-Bahnauskunft** (short form of **Stadtbahnauskunft**), – information office of the city railway

der **S-Bahnzug** (short form of **Stadtbahnzug), –s, ⁼e** city railway train
die **Schachtel, –, –n** box
der **Schaden, –s, ⁼** harm, ill effect
das **Schaf, –es, –e** sheep, fool, silly or stupid person
schallen (schallte or **scholl, geschallt** or **geschollen)** to resound; **ein schallendes Gelächter** a loud peal of laughter, roar
der **Schalter, –s, –** ticket window
die **Schar, –, –en** band, gang
scharf sharp, hard
schätzen to estimate, esteem; **Ihre besondere geschätzte Aufmerksamkeit** your special, considered attention
das **Schaufenster, –s, –** show window
der **Scheck, –s, –e** or **–s** check
der **Schein, –es, –e** glow, light
scheinen (schien, geschienen) (with dat.) to seem to
der **Scheiterhaufen, –s, –** funeral pyre, stake, bonfire
schenken to give, present; **Gehör schenken** (with dat.) to listen to somebody; **keine große Aufmerksamkeit schenken** (with dat.) to pay little attention to a person
die **Schererei: große Scherereien machen** to cause a lot of trouble
schick chic, fashionable; **die schicke Ziege** "slick chick"
schicken to send
der **Schiedsrichter, –s, –** referee, umpire
schießen (schoß, geschossen) to shoot
das **Schild, –es, –er** sign, (name-) plate
schildern to describe, tell of
das **Schimpfwort, –s, ⁼er** angry word, abusive expression
die **Schlacht, –, –en** battle
der **Schlächter, –s, –** butcher
der **Schlachtplan, –s, ⁼e** plan of action
schlafen (schläft, schlief, geschlafen) to sleep
schlagen (schlägt, schlug, geschlagen) to beat, strike; **sich** (acc.) **durchs Leben schlagen** to make one's way through life
die **Schlagfertigkeit, –** wittiness, witticism
schlaksig (dial.) lanky
die **Schlange, –, –n** snake, line or queue of waiting people
schlank slender
schlau sly
schlecht bad, poor; **nicht „von schlechten Eltern" sein** to be first-class
schleichen (schlich, ist geschlichen) to creep, slip; **sich** (acc.) **schleichen in** (with acc.) to slip into
schleppen to drag
schleunig speedy; **schleunigst** right away
schließen (schloß, geschlossen) to close; **sich** (acc.) **schließen** to be closed, close
schließlich finally, actually, after all; **ja schließlich** after all, you must admit

schlimm bad; **um so schlimmer** all or so much the worse
der **Schlitz, –es, –e** slot
schlurfen (dial. for **schlürfen**) to shuffle along
der **Schluß, –(ss)es, ⸚(ss)e** close, closing, conclusion, concluding, end, ending
der **Schlüssel, –s, –** key
das **Schlúßkapítel, –s, –** last chapter
schmal narrow
schmerzlich painful (in a non-physical sense)
die **Schmiere, –, –n** grease, salve; **Schmiere stehen** (st. sl.) to be on the lookout, stand guard
schminken to "paint", apply make-up
der **Schmöker, –s, –** old standby (book)
schmunzeln to smirk
der **Schnabel, –s, ⸚** beak, bill, mouth (colloq.); **wie ihnen der Schnabel gewachsen ist** in a natural way
die **Schnauze, –, –n** snout, nose (of an animal), mouth or nose of a person (colloq.); **seine frisierte Schnauze halten** (sl.) to stop his fancy talk. **Sogar seine Berliner Schnauze läßt ihn jetzt im Stich.** Even his Berlin mouth (talk, eloquence) lets him down now.
die **Schneide, –, –n** cutting edge; **auf des Messers Schneide** on the border
schnell quick(ly), fast, rapid(ly); **schnell machen** to hurry
schnellfüßig nimble, nimbly
schnippisch snippy, pert
die **Schnoddrigkeit, –** insolence, impudence
schnuppe (sl.) (with dat.) **Alles andere ist mir schnuppe.** I don't care about anything else.
schon already, in no time at all, all right, in due time, even; **schon besser** even, far, or really better; **schon lange** long since; **schon so lange** for such a long time now; **schon damit** just so that; **schon zu dieser Zeit** by this time; **schon wieder** once more or again. **Hast du schon wieder eine fliegende Untertasse gekauft?** Have you gone and bought another flying saucer? **Was zahlt heute schon jemand für den *Untergang des Abendlandes?*** Really, what does anybody pay for *The Decline of the Occident* these days? **Er kommt schon seit Jahren in mein Antiquariat.** He has been coming to my second-hand book store for many years now. **Das allein macht Schnock** (dat.) **die Dame schon recht verdächtig.** That by itself is enough to make Schnock suspicious of the lady.
schön beautiful(ly), fine, nice-

(ly); **ganz schön und gut** fine and dandy; **die schönste Zeit** the best time

die **Schöpfung, –, –en** creation

schräg: reißen schräg auf (with acc.) to throw across, onto; **schräg gegenüber** diagonally opposite

die **Schramme, –, –n** scratch

der **Schrank, –es, ⸚e** cabinet, case, cupboard

der **Schreck, –es, –e** fear, fright; **vor Schreck** with or from fright

der **Schrecken, –s, –** fright, scare

schrecklich terrible, horrible

schreiben (schrieb, geschrieben) in (with acc.) to write in

schreien (schrie, geschrieen or geschrien) to shout, scream; **laut schreien** to cry out, exclaim, shout

schreiten (schritt, ist geschritten) to step

die **Schrift, –, –en** document, paper, writing, handwriting, hand

der **Schriftsteller, –s, –** author, writer

schrill shrill

der **Schritt, –es, –e** or **–** step, stride. **Der Komparativ läuft mit ein paar Schritt Abstand hinter ihr her.** Komparativ keeps a few steps behind her.

der **Schuh, –es, –e** shoe; **wo einen der Schuh drückt** what is wrong with a person

schuld an (with dat.) guilty of, responsible for, to blame for

schuldbewußt guiltily, with an awareness of his guilt

das **Schuldbewußtsein: voller Schuldbewußtsein** fully aware of his guilt

schulden to owe

schuldig guilty, indebted; **einem eine Rechenschaft über** (with acc.) **schuldig sein** to owe somebody an accounting, to have to account to somebody for something

die **Schule, –, –n** school; **in der Schule** at school

der **Schüler, –s, –** pupil, student

der **Schulschluß, –(ss)es** end of school

der **Schupo** (short form **of der** Schutzpolizist; sl.) **–s, –s** policeman, "cop"

schütteln to shake

das **Schutzblech, –s, –e** fender

schützen to protect, shelter

schwach weak, soft, quiet. **Der Zug war nur schwach besetzt.** There were only a few passengers on the train. **Schließlich sind wir ja nicht die Schwächsten.** After all, we aren't exactly weak.

schwarz (adj.) black, black-haired

das **Schwarz, –es** (noun) black

der **Schwarzkopf, –es, ⸚e** black-haired boy

das **Schweigen, –s** silence; **zum Schweigen bringen** to silence

schweigsam quiet, silent

schwer hard, heavy, difficult; **überhaupt nur schwer** only with the greatest difficulty

sich (acc.) **schwingen (schwang sich, sich geschwungen) auf** (with acc.) to jump onto

schwirren to whiz, buzz

sechs (adj.) six

die **Sechs, –, –en** (noun) six; VI = *F* or "failing" as a grade

sechzehn sixteen

sechzig sixty

die **See, –, –n** sea, seaside, ocean

der **Seehundsbart, –s, ⸚e** mustache

sehen (sieht, sah, gesehen) to see, notice, look at; **sehen auf** (with acc.) to look at; **sehen nach** to look at. **Das sieht dir ähnlich.** That sounds like you. That's just like you. **Schnock sieht, wie ihr Gesicht den Ausdruck der Überraschung annimmt.** Schnock watches (as) her face take(s) on an expression of surprise.

sehr very, quite; **sehr rot werden** to blush all over; **einem sehr viel verdanken** to owe a person a lot, be greatly indebted to a person

sein (ist, war, ist gewesen) to be; **im Bilde sein** to realize; **zu Ende sein** to be over or finished; **wie es** (impers.) **einem Flüchtling zumute ist** how it feels to be a refugee

sein- his, its

seit (prep. with dat.) since, for. **Seit diesem Tage hieß Hänschen Schäfer nur noch der Komparativ.** Since that day Johnny Schäfer had been called nothing but **Komparativ. Er kommt schon seit Jahren in mein Antiquariat.** He has been coming to my second-hand book store for many years now.

seitdem (adv.) since then

der **Seitenblick, –s, –e auf** (with acc.) side glance at

der **Seiteneingang, –s, ⸚e** side entrance or door

das **Seitenfenster, –s, –** side window

die **Seitenwand, –, ⸚e** side wall

die **Sektórengrénze, –, –n** sector border or boundary

die **Sekúnde, –, –n** second

selber (emphatic pron.) myself, yourself, yourselves, himself, herself, itself, ourselves, themselves, oneself; no less, personally. **Die Nachbarn mußten sich diesmal selber helfen.** This time the Neighbors had to help themselves.

selbst (emphatic pron.) myself, yourself, yourselves, himself, herself, itself, ourselves, themselves, oneself; **selbst** (adv.) even; **selbst wenn** even if; **Schnock ist wütend über sich selbst.** Schnock is furious at himself.

selbstfabriziert self-fabricated, original, own
selbstverständlich obvious(ly), of course
die **Selbstvorstellung, –, –en** self-introduction
selten rare(ly), seldom
das **Servíce, –s, –s** [sɛrvíːs] coffee service
der **Sessel, –s, –** easy chair, arm chair
setzen to set, place, put; **an die Luft setzen** to throw out, get rid of; **in Gang setzen** to set in motion; **in Marsch setzen** to dispatch; **große finanzielle Hoffnungen setzen auf** (with acc.) to have great financial hopes for; **sich** (acc.) **setzen,** to sit down; **sich in die Stadtbahn setzen** to sit down on, take a seat on, get on, board the train
der **Seufzer, –s, –** sigh
sich (reflexive pron.) (to or for) himself, herself, itself, yourself, yourselves, themselves, oneself, each other, one another; **sich selber** or **selbst** himself, etc.; **sich gegenseitig** each other, one another; **von sich aus** of their own accord. **Die Haustür öffnet sich.** The front door is opened or opens.
sicher sure(ly), certain(ly), for sure, no doubt; **doch . . . sicher,** surely; **ganz sicher** for sure. **In Mathematik war ihm eine Fünf sicher.** In mathematics he was sure of an *E*.
sicherheitshalber just to be safe
sichern to tie, fasten
sie (ihrer, ihr, sie) she, her, it
sie (ihrer, ihnen, sie) they, them
Sie (pol. sing. and pl.) **(Ihrer, Ihnen, Sie)** you
sieben seven
siebzehn seventeen
siebzig seventy
die **Signalpfeife, –, –n** whistle for signaling
die **Silhouette, –, –n** [ziluɛ́tə] silhouette
der **Sinn, –es, –e** sense, mind, meaning; **von Sinnen** out of one's mind
die **Situatión, –, –en** situation; **eine verflixte Situation** a mess, jam
die **Sitzbank, –, ⸚e** seat
sitzen (saß, gesessen) to sit, be seated or sitting; **einen sitzen sehen** to see a person sitting. **Haben Sie etwa zusammen in Moabit gesessen?** Did you by any chance put in time together in prison?
der **Sitzplatz, –es, ⸚e** seat
so so, and so, in this or that way, well; **so viel wie** as much as; **so daß** so that; **so manche** so many; **schon so lange** for such a long time now. **So?** Really? Is that so? **Und so geschah es.** And that's the way it happened.

So wie ich die Sachlage beurteile, gibt es hier nur zwei Möglichkeiten. The way I evaluate the situation, there are only two possibilities in this matter. **So ein Buch über Weltraumflüge und Astrophysik.** A book about flights into outer space and astrophysics, in other words. **Das ist so eine, die abends hinter ihrem Emil auf'm Brautomobil als Klammeräffchen sitzt.** She's the kind that holds on to her boy friend while riding on his motorcycle evenings. **Sicher schon eine etwas ältere Dame so um einundzwanzig oder zweiundzwangzig herum.** She's, no doubt, a somewhat older lady; in other words (let's say), around twenty-one or twenty-two. **Sie sah nur so** (antic.) **aus wie dreizehn.** She only looked like thirteen. **Wie in einem Bienenstock—so summte und brummte es** (impers.) **inzwischen bei den Nachbarn.** As in a beehive, that's the way things were humming and buzzing meanwhile at the Neighbors. **Selbst wenn man hätte telefonieren wollen, so wäre das ja nicht möglich gewesen.** Even if they had wanted to make a telephone call, (still) they really couldn't have.

sobald as soon as

soeben just, just now, just then

sofort immediately, at once, right away

sogar even, indeed, no less, more than that, and what is more; **ja sogar** indeed . . . no less

die **Sohle, –, –n,** sole; **auf leisen Sohlen** on tiptoes, very quietly

der **Sohn, –es, ⸚e** son

solch- such; **eine solche Kontrolle** such an inspection

sollen (soll, sollte, gesollt or **sollen)** to be (expected or supposed) to, be said to; should, ought to. **Was soll das Gesitze auf Horstens Terrasse?** What is the point of our sitting on Horst's patio? **Was soll denn schon passieren?** Now I ask you, what do you really expect to happen?

der **Sommer, –s, –** summer

die **Sommerferien** (pl.), – summer vacation

die **Sommergroßfahrt, –, –en** grand summer expedition

sommersprossig freckled

das **Sonderabteil, –s, –e** separate compartment

sonderbar strange

sondern (after neg.) but (rather)

der **Sonntag, –s, –e** Sunday

sonst usually, otherwise, or else; **sonst noch etwas** anything else; **wo sonst** where else

die **Sorge, –, –n** care, concern, worry; **voller Angst und Sorge um** marked by worry and concern for
soviel . . . wie as much . . . as
sowas (short form of **so etwas**; colloq.) something like that, such a thing, the likes of you
sowiesó anyhow
sowjétisch Soviet, Russian
sowohl: die Bedeutung sowohl des „Untergangs" als auch der „Untertasse" the significance of the "Decline" as well as the "Saucer"
sozusagen so to speak, as it were
der **Spaß, –es, ¨e** fun, joke, laughing matter; **keinen Spaß kennen** to stand for no foolishness; **sich** (dat.) **einen Spaß daraus machen, daß er . . .** to make a joke of his . . .
spät late
spazieren-fahren (fährt spazieren, fuhr spazieren, ist spazierengefahren) to ride back and forth just for the fun of it
die **Spiegelnummer, –, –n** "mirror" number
das **Spiel, –es, –e** game, play; **gute Miene zum bösen Spiel machen** to make the best of a bad bargain. **Die Autoversicherung mußte natürlich aus dem Spiele bleiben.** The automobile insurance, of course, could not be used.
spielen to play; **ausgezeichnet Klavier spielen** to play the piano extremely well; **Lotterie spielen** to buy lottery tickets; **keine Rolle mehr spielen** to be no longer important; **indem sie nervös mit ihren Fingern an der Handtasche spielt** nervously fingering the handbag
der **Spielverderber, –s, –** wet blanket, "party poop"
spinnen (spann, gesponnen) to spin. **Du spinnst** (sl.). You're crazy.
der **Spitzname, –ns, –n** nickname
sportlich: die andern sportlich Interessierten the other sports enthusiasts
spöttisch sarcastic
die **Sprache, –, –n** speech
sprechen (spricht, sprach, gesprochen) to speak, talk; **sich** (acc.) **noch sprechen** to talk together some more; **der Sprechende** the speaker
das **Sprechzimmer, –s, –** consulting room
springen (sprang, ist gesprungen) to jump; **springen an** (with acc.) to jump or rush to; **springen von** to jump off
der **Sprung: in großen Sprüngen** in leaps and bounds
die **Spucke, –** spit. **Mensch, da bleibt einem ja die Spucke weg** (sl.)! Man, just listen to her!
die **Spur, –, –en** trace, track; **um ihre Spur nicht zu verlie-**

ren in order not to lose track of her

spüren to feel

die **Stadtbahn, –** city railway; **in der Stadtbahn** on the train; **mit der Stadtbahn fahren** to go by train, ride on or take the train

der **Stadtbahnwagen, –s, –** train car

städtisch municipal

der **Stadtkoffer, –s, –** carrying case

der **Stall, –es, ⸚e** stall, stable; garage, house (sl.)

stammen: aus guter Familie stammen to have a good family background

stämmig strong

stark strong; **immer stärker anschwellen** to swell more and more. **Der Zug ist stark besetzt.** There are many people on the train.

starren to stare

starten (ist) to start, begin, set out

statt (with gen.) instead of; **statt mit dem Bus** instead of by bus

staunen to be amazed, surprised

das **Staunen, –s** amazement, surprise

stecken to be, insert, put

stehen (stand, gestanden) to stand, to be, to be printed, to be written, to appear; **Schmiere stehen** (st. sl.) to be on the look-out, stand guard. **Das wird Ihnen teuer zu stehen kommen.** You will pay dearly for this.

stehen-bleiben (blieb stehen, ist stehengeblieben) to remain standing, stop, stay

stehlen (stiehlt, stahl, gestohlen) to steal, snitch, use without permission. **Mit Piepe konnte man sonst Pferde stehlen.** Usually Piepe would go along with anything.

steif stiff, lame, rigid(ly); **steif und fest** emphatically

steigen (stieg, ist gestiegen) to rise, climb, mount

sich (acc.) **steigern** to increase

die **Stelle, –, –n** place, point, position

stellen to place, put; **einem eine Frage stellen** to ask somebody a question; **sich** (acc.) **getrennt voneinander stellen** to take up separate positions; **sich** (acc.) **stellen neben** (with acc.) to come to stand next to; **in gestellter Situation** in an artificial, prearranged situation; **das Thema gestellt bekommen** to receive the topic as an assignment

stellvertretend für speaking for, as spokesman for

sterben (stirbt, starb, ist gestorben) to die

stets always

das **Steuer, –s, –** steering wheel

die **Steuer, –, –n** tax

der **Stéuersekretä́r, –s, –e** tax official

der **Stich: einen im Stich lassen** to leave a person in the lurch, let a person down

stiften to give, provide

still still, quiet; **im stillen** to himself

die **Stimme, –, –n** voice

stimmen to be correct, right. **Stimmt.** That's right.

die **Stimmung, –, –en** mood

der **Stock, –es, Stockwerke** floor, story; **im ersten Stock** on the second floor

stolz auf (with acc.) proud of

stopfen to fill, stuff

die **Straße, –, –n** street

die **Straßenbahn, –, –en** streetcar, trolley

die **Stráßenlatérne, –, –n** street light

die **Straßenseite, –, –n** side of the street, lane

die **Strecke, –, –n** stretch, piece, run, line

streitig controversial, in dispute; **uns** (dat.) **Peters Eigentum streitig machen** to argue or contend with us about Peter's property

streng austere, severe, strict

die **Strenge, –** austerity, severity, strictness

der **Strohhut, –s, ¨e** straw hat

der **Studienrat, –s, ¨e** title of secondary school teacher

studieren to study. **Ich studiere Germanistik.** I am a student of Germanics.

die **Stufe, –, –n** step, level

der **Stuhl, –es, ¨e** chair

die **Stunde, –, –n** hour, class period, lesson

die **Stupsnase, –, –n** turned-up nose

stürzen (hat or **ist)** to dash; **sich** (acc.) **stürzen auf** (with acc.) to pounce on; **sich** (acc.) **stürzen in** (with acc.) to dash or rush into

die **Súchaktión, –, –en** search

suchen look (for), search (for); seek; **suchen nach** to look for

die **Súchkolónne, –, –n** search party

die **Suchmöglichkeit, –, –en** search possibility, search party

die **Suchpatrouille, –, –n** [-pɑtrú-lĭə] search party

der **Suchplan, –s, ¨e** search plan

die **Summe, –, –n** (total) amount

summen: Es (impers.) **summte.** Things were buzzing.

T

der **Tag, –es, –e** day; **am Tage** during the day; **acht Tage** a week

täglich daily, everyday

taktisch tactical

die **Tante, –, –n** aunt

der **Tanz, –es, ¨e** dance, dancing

tapfer brave; **sich** (acc.) **tapfer halten** to be brave

tarnen to disguise, camouflage

die **Tasche, –, –n** pocket

die **Tasse, –, –n** cup. **Sie haben wohl selber nicht alle Tas-**

sen im Schrank. You're probably not all there mentally. You probably have a screw loose.

die **Tat, –, –en** act, deed; **in der Tat** indeed

tatsächlich actually, in actuality, in fact, really, in reality

taufen auf (with acc.) to christen or dub with a name

tausend thousand

die **Taxe (= das Taxi), –, –n** taxi

technisch technical

teilen to divide

teils . . . teils in part . . . in part, partly . . . partly

das **Telefon, –s, –e** telephone

der **Telefonanruf, –s, –e** telephone call

der **Telefongroschen, –s, –** (see **der Groschen**) coin to be used in pay telephone

telefoníeren (mit) to speak by telephone to

die **Telefonístin, –, –nen** telephone operator

die **Telefonverbindung, –, –en** telephone connection or service

die **Telefonzelle, –, –n** telephone booth

die **Telefonzentrále, –** telephone switchboard

das **Tempo, –s, –s** tempo, speed

die **Terrásse, –, –n** terrace, patio

teuer expensive, dear. **Das wird Ihnen teuer zu stehen kommen.** You will pay dearly for this.

teuflisch devilish, diabolical

das **Thema, –s, Themen** subject, topic, theme

theoretisch theoretical(ly), in theory

der **Tisch, –es, –e** table, counter

der **Titel, –s, –** title

toll crazy, mad, strange, unusual; **immer toller** stranger and stranger, crazier and crazier

die **Tonart, –, –en** tone; **in der feinsten Tonart** in a very refined way

das **Tonbandgerät, –s, –e** tape recorder

tönen to resound, be heard

tragen (trägt, trug, getragen) to carry, take, wear

trampen (ist) [trǽmpən, trámpən] to hitchhike

traurig sad(ly)

die **Traurigkeit, –** sadness

treffen (trifft, traf, getroffen) to hit, come upon, find; **die nötigen Entscheidungen treffen** to make the necessary decisions

trennen to separate; **sich** (acc.) **getrennt voneinander stellen** to take up separate positions

die **Trennung: Trennung von** parting with

die **Treppe, –, –n** flight of stairs, stairs, staircase

der **Treppenabsatz, –es, ¨–e** stairway landing

der **Treppenflur, –s, –e** stairway landing

die **Treppenstufe, –, –n** stairstep

treten (tritt, trat. ist getreten)

to step; **näher treten** to step closer, come in

der **Triebwagen, –s, –** railway motorcar, engine

triefen (troff, getroffen) to drip; **der „Triefende Bückling"**, the "Drippy Herring"

triumphierend triumphantly

die **Trommel, –, –n** drum

das **Trompéteblásen, –s** playing the trumpet

trotz (with gen.) despite, in spite of

trotzdem nevertheless, just the same

die **Trümmer, –** broken pieces

tun (tat, getan) to do. **Aber was tun?** But what is Schnock to do?

die **Tür, –, –en** door

der **Türeingang, –s, ⸚e** doorway, entrance

der **Türschluß, –(ss)es** closing the door

die **Tüte, –, –n** paper bag; **wie eine Tüte Mücken angeben** to put on airs

U

über (prep. with acc. or dat.) over, above, across, via, by way of; about, concerning (with acc.); because of (with dat.); **über Steglitz** (acc.) **hinaus** beyond Steglitz; **hereinbrechen über** (with acc.) to descend on; **lachen über** (with acc.) to laugh at or about; **Rechenschaft über** (with acc.) accounting for; **sich** (acc.) **verbreiten über** (with acc.) to enlarge upon, express oneself on; **verfügen über** (with acc.) to have at one's disposal

über (adv.): **die ganze Zeit über** all this time, the whole time

überall everywhere

der **Überfall, –s, ⸚e auf** (with acc.) attack on

überfallen (überfällt, überfiel, überfallen) to attack

das **Überfallkommando, –s, –s** riot squad

überflüssig superfluous, unnecessary

überhaupt at all, absolutely, in general, consistently, in the first place; **überhaupt kein westliches Fundbüro,** no Western lost-and-found office at all; **überhaupt nur schwer** only with the greatest difficulty; **überhaupt über die ganze Welt** at the world in general

überlassen (überläßt, überließ, überlassen) to entrust, turn over

überlegen to think (over), meditate, ponder; **sich** (dat.) **überlegen** to consider, think of

übernehmen (übernimmt, übernahm, übernommen) to take on, assume (responsibility for)

überragen um to tower over or be taller than . . . by

die **Überraschung, –, –en** surprise

der **Überraschungsschrei, –s, –e** cry of surprise
überreden to persuade; **sich** (acc.) **überreden lassen** to allow oneself to be persuaded
der **Überrest, –s, –e** remnant, remains
überschauen to size up, evaluate
übersehen (übersieht, übersah, übersehen) to take in, size up
übersetzen to translate
übrig other, remaining; **in der übrigen Zeit** during the rest of the time; **übrigens** by the way, moreover; **im übrigen** moreover, furthermore, besides
übrig-bleiben (blieb übrig, ist übriggeblieben) to remain, be left
die **Uhr, –, –en** clock, watch, o'clock
um (with acc.) about, around, at; **um ein Uhr** at one o'clock; **um . . . herum** around; **um so schlimmer** all or so much the worse; **um alles abzuholen** (in order) to pick up everything; **zu stolz, um . . . zu . . .** too proud to . . . ; **sich** (acc.) **gegenseitig um die Wette vorm Scheiterhaufen retten** to compete in rescuing each other from the stake; **überragen um** to tower over or be taller than . . . by; **sich** (acc.) **kümmern um** to concern oneself with, worry about
die **Umgébung, –, –en** environs, surroundings, vicinity
um-kehren (ist) to turn around (and come back)
der **Umschlag, –s, ⁻̈e** cover, envelope, wrapping paper
sich (acc.) **um-sehen (sieht sich um, sah sich um, sich umgesehen) nach** to look around at
umsichtig cautious, observant, perceptive
umsónst for nothing, in vain
der **Umstand, –s, ⁻̈e** circumstance; **unter allen Umständen,** under any circumstances, in any case, come what may
umständlich detailed, involved, affected
der **Umsteigebahnhof, –s, ⁻̈e** transfer point or station
um-steigen (stieg um, ist umgestiegen) to transfer, change, move
umstellen to surround
um . . . willen (with gen.) for the sake of, because of; **um meinetwillen** for my sake
unabhängig von independent of; apart, aside, separate from
unbedingt absolute(ly)
unbestimmt indefinite, vague; **so eine unbestimmte Angst** a feeling of uneasiness for some unknown reason
und and, also, too
unerwartet unexpected
ungeduldig impatient

ungefähr approximately
ungewöhnlich unusual(ly), extremely
das **Unglück, –s, Unglücksfälle** unhappiness, misfortune, mishap, accident. **Ein Unglück kommt selten allein.** It never rains but it pours.
unhöflich discourteous, impolite
die **Universität, –, –en** university
der **Universitätslektor, –s, –(tór)en** instructor in one's native language at a foreign university
unmöglich impossible, not possibly
unnötig unnecessary
unruhig uneasy, restless
unser- our, ours
unsichtbar invisible
unten (adv.) below, beneath, at the bottom, downstairs; **von unten bis oben** from top to bottom, completely
unter (prep. with acc. or dat.) under, below, beneath, among; **dicht unter seine Augen** close to his eyes; **unter der Bedingung** upon condition, with the stipulation; **unter allen Umständen** under any circumstances, in any case, come what may. **Was verstehen Sie unter diesem Wort?** What do you take this word to mean?
unterbrechen (unterbricht, unterbrach, unterbrochen) to interrupt.
der **Untergang, –s** decline, fall
die **Unterhaltung, –, –en** conversation
unterlassen (unterläßt, unterließ, unterlassen) not to bother
unterschreiben (unterschrieb, unterschrieben) to sign
unterstellen (with dat.) to place under the control of
unterstreichen (unterstrich, unterstrichen) to underscore, emphasize
die **Untertasse, –, –n** saucer
unterwégs on the way
unüberwíndlich invincible, unbeatable
unwillkürlich involuntarily, automatically
unzertrennlich inseparable
die **Ursache, –, –n** cause
urteilen to judge; **nach dem** (antic.) **zu urteilen, was . . .** judging from what . . .
der **Urwald, –s, ⸚er** jungle

V

der **Vater, –s, ⸚** father
verabreden to arrange
die **Verabredung, –, –en** agreement, arrangement, understanding
verabredungsgemäß in accordance with the agreement (arrangement, understanding)
sich (acc.) **verabschieden von** to take leave of

die **Verandatür, –, –en** door to the porch or veranda
die **Veränderung, –, –en** change
verbergen (verbirgt, verbarg, verborgen) to hide, conceal
verbessern to correct
sich (acc.) **verbeugen** to bow
verbeulen to bang up
verbieten (verbot, verboten) (with dat. of person) to forbid, prohibit
verbindlich: verbindlichsten Dank thank you very much
der **Verbindungsmann, –s, Verbindungsleute** contact man
das **Verbot, –s, –e** order, command, direction, instruction
das **Verbrechernest, –s, –er** nest or gang of criminals
sich (acc.) **verbreiten über** (with acc.) to enlarge upon, express oneself on
verdächtig suspicious, suspect; **Schnock** (dat.) **die Dame verdächtig machen** to make Schnock suspicious of the lady; **sich** (acc.) **verdächtig machen** to act suspiciously
verdanken: einem sehr viel verdanken to be greatly indebted or owe a great deal to a person
verdutzt bewildered, baffled
vereinsamt lonely
vereinzelt single, separate, individual, isolated
der **Verfall, –s** downfall
verflixt (colloq. for **verflucht)** darned; **ein verflixtes Pech** darned poor luck; **eine verflixte Situation** a mess or jam
verfügen über (with acc.) to have at one's disposal
die **Verfügung** disposal, disposition; **zur Verfügung haben** to have at one's disposal
vergeblich futile, in vain
vergessen (vergißt, vergaß, vergessen) to forget
vergeßlich forgetful, absent-minded
das **Vergnügen, –s, –** pleasure
vergnügt happy, pleasant
verhandeln to negotiate, do business
verhauen (verhieb, verhauen) to hack up, make a mess of
das **Verhör, –s, –e** hearing, questioning, interrogation
der **Verkauf, –s, ⸚e** sale
verkaufen an (with acc.) to sell to
die **Verkaufssumme, –, –n** result of (amount received, profit from) a sale
verkehren (ist) to make the trip, be used
der **Verkehrsteilnehmer, –s, –** traveler
verklingen (verklang, ist verklungen) to fade away, die out
verlassen (verläßt, verließ, verlassen) to leave, abandon, forsake; **sich** (acc.) **verlassen auf** (with acc.) to rely or count on, be sure of
verlieren (verlor, verloren) to lose. **Die Sommergroßfahrt**

nach Italien war nun für ihn verloren. The grand summer expedition to Italy was now out of the question for him.

der **Verlust, –s, –e** loss

vermuten to suspect

die **Vermutung, –, –en** conjecture, supposition, guess

verquatschen to waste by "gabbing"

verraten (verrät, verriet, verraten) to disclose, tell

verreisen (ist) to leave on a trip

verrückt crazy, insane, mad

sich (acc.) **versammeln** to assemble, gather, meet

verschaffen to obtain; **sich** (dat.) **hierüber Klarheit verschaffen** to have this matter cleared up

verschmitzt cunning(ly), sly(ly)

die **Verschnürung, –** cord, twine

verschwinden (verschwand, ist verschwunden) to disappear, vanish

das **Verschwinden, –s** disappearance

versetzen to promote

die **Versetzung, –, –en** promotion

versichern to assure

versinken (versank, ist versunken) to sink, disappear

sich (acc.) **versöhnen** to make up

versprechen (verspricht, versprach, versprochen) (with dat. of person) to promise

verständigen to inform

verständnislos without understanding (what is meant)

verstecken to hide, put away

verstehen (verstand, verstanden) to understand; **zu verstehen geben** to give to understand, indicate; **sich** (acc.) **verstehen auf** (with acc.) to be good at, know how to do something. **Verstanden?** Do you understand? **Was verstehen Sie unter diesem Wort?** What do you take this word to mean?

verstummen (ist) to become silent; **vor Staunen verstummt** struck dumb with amazement, silent with surprise

versuchen to try, attempt

verteidigen to defend; **sich** (acc.) **verteidigen** to say in defense of one's action

verteilen unter (with acc.) to distribute among; **verteilen auf** (with acc.) to assign to, distribute among

der **Vertriebene (ein Vertriebener), –n, –n** displaced person

der **Verwandte (ein Verwandter), –n, –n** relative

die **Verwarnung, –, –en** warning

verwenden (verwendete or verwandte, verwendet) to use

verwickeln in (with acc.) to involve in

die **Verwunderung, –** surprise, amazement

verzagen (ist) to despair, give up

verzeihen (verzieh, verziehen) (with dat. of person) to forgive, excuse

verzweifeln to despair, be(come) despondent. **Das ist ja zum Verzweifeln!** That's really enough to make a person give up.

die **Verzweiflung,** – despair

viel much, a lot; **sehr viel** very much, a great deal, a whole lot, greatly; **mit vieler Not und Mühe** with much trouble and effort, with great difficulty

viele many

vielfältig repeatedly, many times

vielfarbig colorful, of many colors

vielleicht perhaps, possibly, by any chance

vier (adj.) four; **halb vier** three thirty

die **Vier,** –, **–en** (noun) four; IV = D or "passing" as a grade

das **Vierer-Abteil,** –s, –e compartment for four persons

viert- fourth; **im vierten Stock** on the fifth floor

die **Viertelstunde,** –, **–n** quarter of an hour

vierzehn fourteen

vierzig forty

die **Villa,** –, **Villen** villa, large country house

vitrínenártig with glass sides

das **Volk,** –es, ⸚er people, common people, nation

das **Volksgemurmel,** –s – collective murmur, cheer, call

die **Volksrede,** –, –n speech, oration addressed to the nation

der **Volkswagen,** –s, – literally "people's car"; German car make

voll full, complete; **voll wilder Freude** (gen.) quite beside himself with joy

voller (indeclinable) full of; **voller Angst und Sorge um** marked by worry and concern for; **voller Hoffnung auf** (with acc.) optimistic about; **voller Wut** furious

völlig complete(ly); **völlig einsam** all by itself

vollkommen complete(ly), very

vollzählig in full strength, without exception

von (with dat.) of, off, from, by, about, concerning; **von Beruf** by profession; **von meiner Hälfte** with my half; **von sich aus** of their own accord; **von Sinnen** out of one's mind; **von der Straße aus** from the street; **abhängen von** to depend on; **absehen von** to discount, disregard; **innerhalb von** within; **sich** (acc.) **nähren von** to live on

voneinander from each other, apart

der **Vopo** (short form of **der Volkspolizist**; sl.), –s, –s East German policeman

vor (with acc. or dat.) before, in front of, outside, to, at; ago, earlier (with dat.); **vor etwa einer Viertelstunde** about a quarter of an hour ago; **vor Freude** (dat.) with joy; **retten vor** (with dat.) to rescue from; **vor sich** (dat.) **gehen** to occur, take place; **vor sich** (acc.) **hin** (talking) to oneself, straight ahead. **Damit schlug sie ihm die Tür der Telefonzelle vor der Nase zu.** With these words she slammed the door of the telephone booth shut in his face.

vorbei by, past; **dicht an dem Radfahrer vorbei** just missing the person on the bicycle

vorbei-rauschen an (with dat.) to rush past

vor-bereiten auf (with acc.) to prepare for

das **Vorderhaus, –es, ⸗er** building, apartment house fronting on the street

das **Vorderrad, –s, ⸗er** front wheel

vor-führen to play back

vorhanden available, existing; **die etwa vorhandenen Ausgänge** any exits there may be

vorher earlier

vorhin previously, a short time ago, just now, a moment ago

vor-kommen (kam vor, ist vorgekommen) (with dat.) to seem to, strike as

die **Vorkriegsvilla, –, Vorkriegsvillen** prewar villa

vor-machen: Ich lasse mir nichts vormachen. I don't let anybody fool me.

vorn(e) in front, up front; **ganz vorn(e)** way up front; **nach vorn(e)** ahead, forward; **auf dem Bahnsteig nach vorn(e)** to the front end of the platform

vornehm distinguished, refined

der **Vorort, –s, –e** suburb

der **Vorschein: zum Vorschein kommen** to appear

der **Vorschlag, –s, ⸗e** suggestion

vorschlagen (schlägt vor, schlug vor, vorgeschlagen) to suggest

die **Vorsicht, –** caution. **Vorsicht ist die Mutter der Porzellankiste.** An ounce of prevention is worth a pound of cure.

vorsichtig careful(ly), cautious(ly)

vor-spielen (with dat. of person) to play out loud for

vor-stellen to introduce

vor-tragen (trägt vor, trug vor, vorgetragen) to present

vorüber-gehen (ging vorüber, ist vorübergegangen) an (with dat.) to go or walk past

das **Vorübergehen: im Vorübergehen** in passing

vorwurfsvoll reproachful(ly), disapprovingly

vorzeitig premature(ly), **too** soon, ahead of time
der **Vorzug, –s, ⸚e** excellence, **out**standing feature, **merit,** strong point

W

wachsen (wächst, wuchs, ist gewachsen) to grow; **wie ihnen der Schnabel gewachsen ist** in a natural way
der **Wagen, –s –** automobile, car, train car
wählen to choose
wahr true; **nicht wahr** isn't that right, didn't I, etc.
während (prep. with gen.) during
während (conj.) while, as, whereas
die **Wahrheit, –, –en** truth
wahrnehmbar perceptible; **für alle wahrnehmbar** audible to everyone
wahr-nehmen (nimmt wahr, nahm wahr, wahrgenommen) to perceive, make use of; **jede Chance wahrnehmen** to leave no stone unturned
wahrscheinlich probable, probably
die **Währungsgrenze, –, –n** currency border
die **Wand, –, ⸚e** (interior) wall, partition
wandern (ist) auf (with acc.), **in** (with acc.), or **zu** to walk, hike, land, end up, be put
warm warm; **ein warmes Würstchen** a "hot dog"
warnen to warn
warten auf (with acc.) to wait for
warum why
was what, whatever, that which, something (colloq. for **etwas**), isn't that correct (colloq. for **wie, nicht wahr**), why (colloq. for **warum**); **alles, was** everything that; **das, was** that which; **etwas, was** something that; **was . . . für ein** what kind of; **was . . . alles** what all. **Was bin ich doch glücklich!** You don't know how glad I am.
waschecht color-fast, genuine, true
waschen (wäscht, wusch, gewaschen) to wash
wechseln to change, exchange
die **Wechselstube, –, –n** currency-exchange point
weder: weder . . . noch, neither . . . nor
weg (adv.) [vɛk] away; **weit weg** way off
weg-bleiben (blieb weg, ist weggeblieben) to be absent. **Da bleibt einem ja die Spucke weg** (sl.)! Just listen to her!
wegen (prep. with gen.) because of, on account of
weg-fahren (fährt weg, fuhr weg, ist weggefahren) to leave, depart. **Mir war nämlich gerade ein Zug vor der Nase weggefahren.** You see, I had just missed a train.
wehmütig melancholy

wehren to restrain. **Der Mann wehrte sich vergeblich dagegen** (antic.), **daß man ihn festhielt.** The man was objecting in vain to their holding on to him; i.e., was resisting in vain.

weh-tun (tat weh, wehgetan) (with dat.) to hurt

weil because (conj.)

die **Weile, –, –n** period of time, while; **eine Weile lang** for a moment or while

weinen to weep, cry

das **Weinen, –s** weeping, crying; **dem Weinen nahe** on the verge of crying, about to cry

die **Weinlaubranke, –, –n** grapevine

die **Weise, –, –n** way, manner; **auf irgendeine Weise** in any way; **auf welche Weise** how, in what way; **in dieser Weise** in this way. **Auf diese Weise quatscht man keine Dame an.** That's no way to talk to a lady.

weiß white, blank

weißbehandschuht in white gloves

weit far, far and wide, for quite a distance; **weit weg** way off; **weit im Hintergrunde des Gartens** far back in the yard; **weit und breit** far and wide, for quite a distance

weiter- (adj.) further, additional; **keine weiteren Reden mehr** no more speeches; **noch weitere Zwischenfälle** still further, additional incidents; **weiter** (adv.) further, on; **weiter nach hinten** further back; **weiter . . . bedienen** to continue to look after, to remain at. **Dann werden wir ja weiter sehen.** Then we'll wait and see what happens.

weiter-denken (dachte weiter, weitergedacht) to continue to think or muse

weiter-mahnen to continue to "preach"

weiter-rufen (rief weiter, weitergerufen) to continue to shout

weiter-sprechen (spricht weiter, sprach weiter, weitergesprochen) to continue to speak

weiter-verkaufen to resell, sell to somebody else

welcher (interrog. and rel.) which, which one, what, that, who

die **Welt, –, –en** world. **Nobel geht die Welt zugrunde!** We might as well do it up right.

der **Weltkrieg, –s, –e** World War

der **Weltraumflug, –s, ¨–e** flight through outer space

wenden (wandte, gewandt) to turn; **zu Peter gewandt** having turned or turning to Peter; **sich** (acc.) **wenden an** (with acc.) to turn or address oneself to

wenig little; **ein wenig** a bit or little; **ein klein wenig zögernd** just a bit hesitantly; **zu wenig** too little or few; **am wenigsten** least

die **Wenigkeit, –** trifle; **meine Wenigkeit** your humble servant, "yours truly"

wenn when, whenever, if; **wenn . . . auch** even if, even though

wer (wessen, wem, wen) (interrog. and indefinite rel. pron.) who, whose, whom; whoever, he who

werden (wird, wurde, ist geworden) to become, grow, get; shall, will; to be; **fertig werden mit** to make out with, take care of; **sich** (dat.) **klar werden über** (with acc.) to make up one's mind about something; **rot werden** to blush. **Nach dem Zweiten Weltkriege war Steglitz zum Zentrum des neuen Berlins geworden.** After the Second World War Steglitz had become the center of new Berlin. **Den Fünfziger werde ich inzwischen wechseln.** Meanwhile, I will change the coin. **Wurde das Buch gefunden?** Was the book found?

werfen (wirft, warf, geworfen) to throw, cast, deposit

die **Werkstatt, –** workshop

wertvoll valuable, costly, expensive, exquisite, priceless

westdeutsch West German

der **Westen, –s** West, West Berlin

das **Westgeld, –s** West German currency

westlich western

die **Westmark, –, –** West German Mark

der **Westsektor, –s, –en** Western Sector

die **Wette, –, –n** bet, wager; **sich** (acc.) **um die Wette retten vor** (with dat.) to compete in rescuing each other from

wetten auf (with acc.) to bet on

wichtig important; **wichtig nehmen** to take seriously

wie how, as, as if, like, when, while; **wie gebannt** as if spell-bound; **soviel . . . wie** as much . . . as; **so wie er es im letzten Film gehört hatte** the same way he had heard it done in the latest movie; **aussehen wie** to look like; **vornehm wie** as refined as; **wie aus einem Munde** in chorus. **Nichts wie hinterher!** There's nothing to do but follow her. **Wie nennt man dich?** What do they call you? **Schnock sieht, wie ihr Gesicht den Ausdruck der Überraschung annimmt.** Schnock watches (as) her face take(s) on an expression of surprise.

wieder again; **wieder einmal** again, once more; **wieder ein Glück** another bit of good luck; **wieder da** back;

immer wieder again and again; **schon wieder** once more or again; **wieder aufnehmen** to resume. **Hast du schon wieder eine fliegende Untertasse gekauft?** Have you gone and bought another flying saucer?
wieder-erlangen to regain
wieder-haben (hat wieder, hatte wieder, wiedergehabt) to get or have back
wiederholen to repeat
wieder-sehen (sieht wieder, sah wieder, wiedergesehen) to see again
das **Wiedersehen, –s** seeing again, reunion, second meeting. **Auf Wiedersehen!** Goodbye
wiederum again
wieso How's that? **Wieso „Zellengenosse"?** What do you mean by "cellmate"?
wieviel how much, how many
wild wild, beside oneself, confused, unrestrained; **voll wilder Freude** quite beside himself with joy
willig willing, voluntary
die **Wimper, –, –n** eyelash; **ohne mit der Wimper zu zucken** without batting an eyelash
der **Wind, –es, –e** wind
der **Wink, –es, –e** hint, indication, sign
winken to signal
winzig tiny
wir (unserer, uns) we, us, ourselves
wirklich real(ly)
der **Wirrwarr, –s** mess
wissen (weiß, wußte, gewußt) to know (as a fact); **noch wissen** to remember; **wissen wollen** to want to know, ask; **wissen Sie, ganz vorn im Wagen** you know, way up front in the car. **Ich wußte gar nicht.** I had no idea.
die **Wissenschaft, –, –en** science
wissenschaftlich scientific; **ein wissenschaftliches Arbeitszimmer** a scholar's study
die **Witwe, –, –n** widow
der **Witz, –es, –e** joke
wo where; **jetzt wo** now that, since; **wo . . . doch** since; **in diesem entscheidenden Augenblick, wo . . .** at this decisive moment when . . .
woandershin somewhere or anywhere else
wobei if, provided
wodurch as a result of which
woher from where, how
wohin whither, where, wherever
wohl well, in all likelihood, no doubt, probably; **doch wohl** surely
wohlbehalten safe and sound
wohlgesetzt well-chosen, well-composed
wohnen to live, dwell
der **Wohnraum, –s, ⸚e** living space or room; **die Wohnräume** living quarters
die **Wohnung, –, –en** apartment, dwelling

die **Wohnungstür, –, –en** apartment door or entrance

das **Wohnzimmer, –s, –** living room

wollen (will, wollte, gewollt or **wollen)** to want, wish, claim, intend, be about or willing to; will; **der Aufforderung gerade nachkommen wollen** to be about to accept the invitation; **gern wollen** to want very much, be quite willing, be anxious; **sagen wollen** to want or try to say, mean; **wissen wollen** to want to know, ask; **etwas nicht gern hinausposaunen wollen** to prefer not to blare something out; **wohin du willst** wherever you wish to go. **Wir wollen mal ehrlich sein.** Let's be honest about it.

womit with what

das **Wort, –es, –e** (words in context) or **⸚er** (isolated words); **einem ins Wort fallen** to interrupt a person; **sich** (acc.) **zum Wort melden** to speak up; **das Wort nehmen zu** to speak up or say a word about. **Hast du Worte?** Get that!

wozu: Wozu das alles? What good is all that?

wunderbar wonderful(ly), excellent

sich (acc.) **wundern** to be surprised

der **Wunsch, –es, ⸚e** wish, desire, request

wünschen to wish

der **Wunschkasten, –s, –** or **⸚** wishing well

würdigen to honor; **ohne sie eines Blickes zu würdigen** without so much as glancing at them

das **Würstchen, –s, –** small sausage; **ein warmes Würstchen** a "hot dog"

der **Wurstmaxe, –n, –n** hot-dog stand

die **Wut, –** anger, rage; **voller Wut** furious

wütend über (with acc.) angry or furious at

Z

zahlen to pay

zählen to count; **in bar zählen** to count out in cash

zahlreich numerous

zehn ten

der **Zehnminutenverkehr, –s** service at ten-minute intervals

das **Zeichen, –s, –** sign; **ein Zeichen dafür** (antic.), **daß . . . ,** a sign that . . .

die **Zeichnung, –, –en** drawing

der **Zeigefinger, –s, –** index finger

zeigen to show; **zeigen auf** (with acc.) to point at; **im Kreise herum zeigen** to pass around

die **Zeile, –, –n** line (of writing or printing)

die **Zeit, –, –en** time; **in dieser Zeit** during this time; **zur Zeit** at the present time, currently; **schon zu dieser Zeit** by this time die **Zeitung, –, –en** newspaper; **Zeitung austragen** to deliver newspapers

die **Zelle, –, –n,** telephone booth

der **Zellengenosse, –n, –n** cellmate, (telephone) boothmate

die **Zensúr, –, –en** grade

die **Zentrále, –, –n** telephone switchboard or headquarters

das **Zentrálfúndbüró, –s** central lost-and-found office

das **Zentrum, –s, Zentren** center; **das Berliner Zentrum** the metropolis of Berlin

zerlesen well-worn, well-thumbed

zerreißen (zerriß, zerrissen) to tear to pieces; **zerrissen** torn to pieces, disintegrated

der **Zettel, –s, –** note, slip of paper

das **Zeugnis, –ses, –se** report card

die **Ziege, –, –n** goat; **die schicke Ziege** the "slick chick"

ziehen (zog, gezogen) to pull, draw

ziemlich rather

das **Zimmer, –s, –** room

zimmern to build

zögern to hestitate; **ein klein wenig zögernd** just a bit hesitantly

zornig angry

zu (prep. with dat.) to, at, as, for, of; **zu Horst gehen** to go to Horst's; **zur Antwort** as an answer; **zum Konditern** for feasting; **zum ersten Mal** for the first time; **zwei Gruppen zu je drei Mann** two groups of three "men" each; **zu dritt** the three of us, etc.; **auf den alten Globke zu** toward old Globke; **bis zu** until; **die Anregung zu** the suggestion of; **zum Glück** fortunately; **schon zu dieser Zeit** by this time; **zu Geld machen** to convert to cash; **sich** (acc.) **zum Wort melden** to speak up; **heranwachsen zu** to turn into; **zum Doktor promovieren** to receive the degree of Ph.D.; **wandern zu** to end up or be placed with

zu (adv.): **zu schnell** too fast; **nach der Straße zu gelegen** facing the street

zucken to move quickly, jerk, start; **ohne mit der Wimper zu zucken** without batting an eyelash

zuerst at first

zufällig accidental(ly), by chance. **Die Nummer weiß ich zufällig.** I happen to know the number.

zu-flüstern (with dat.) to whisper to

zufrieden satisfied, contented; **zufrieden lassen** to let alone

der **Zug, –es, ⸚e** train; **mit dem Zug fahren** to travel or go by train, to ride on or take the train; **Zug für Zug** every train, one train after another

das **Zugende, –s** back of the train

der **Zugführer, -s, -** railway motorman, train engineer
zugrunde-gehen (ging **zugrunde, ist zugrundegegangen)** to perish. **Nobel geht die Welt zugrunde!** We might as well do it up right.
die **Zugspitze, -** front of the train
zu-hören (with dat.) to listen to
die **Zuhörerschaft, -** audience
zuletzt finally, at last
zumal especially since
zumute (with dat.): **wie es** (impers.) **einem Flüchtling zumute ist** how it feels to be a refugee
zunächst at first, first, first of all
zurecht-legen to look after, take care of, put in order; **sich** (dat.) **etwas zurechtlegen** to work out in one's mind
zurecht-setzen to straighten
zurück (adv.) back
zurück-bekommen (**bekam zurück, zurückbekommen**) to get or receive back
zurück-bleiben (blieb zurück, ist zurückgeblieben) to remain behind, stay back
zurück-fahren (fährt zurück, ist zurückgefahren) to return
zurück-geben (gibt zurück, gab zurück, zurückgegeben) to reply
zurück-holen to bring or get back
zurück-kommen (kam zurück, ist zurückgekommen) to come back, return; **zurückkommen auf** (with acc.) to come back to
zurück-kriegen to get or receive back
zurück-laufen (läuft zurück, lief zurück, ist zurückgelaufen) to run back
zurück-legen to put back
zurück-treten (tritt zurück, trat zurück, ist zurückgetreten) to step back; **einen Schritt zurücktreten** to take a step back
zusammen together; **mit mir zusammen** all told, including me
sich (acc.) **zusammen-finden (fand sich zusammen, sich zusammengefunden)** to organize
zusammen-krachen (ist) to break to pieces with a roar, crack up
zusammen-kratzen to scrape up
zusammen-packen to pack up
zusammen-stecken to put together
zu-schlagen (schlägt zu, schlug zu, zugeschlagen) to slam shut
zu-stimmen to agree
sich (acc.) **zu-wenden (wandte sich zu, sich zugewandt)** to turn to
zwanzig twenty
der **Zwanzigminutenverkehr, -s** service at twenty-minute intervals

zwar indeed, to be sure; **und zwar** to be exact, specifically; **und zwar natürlich** and, of course

zwei (adj.) two

die **Zwei, –, –en** (noun) two; II = *B* or "good" as a grade

zweifellos doubtless, no doubt

zweifeln to doubt; **zweifelnd** dubious

zweihunderttausend two hundred thousand

zweimal twice

zweistöckig two-story

zweit- second

zwischen (with acc. or dat.) between, among

der Zwischenfall, –s, ⸚e incident

der **Zwischenruf, –s, –e** interrupting cheer

der **Zwischenrufer, –s, –** (loud) interrupter

zwölf twelve

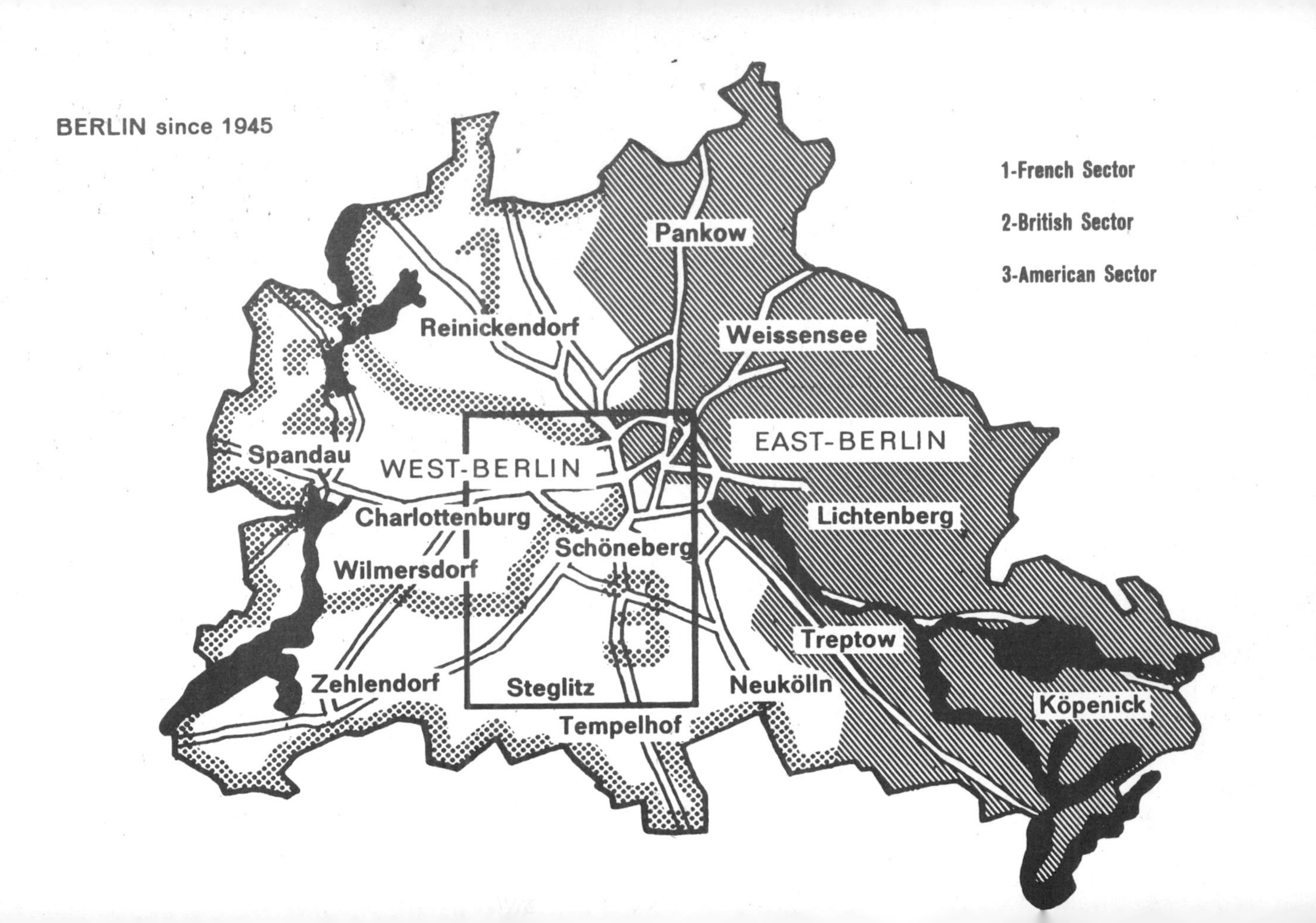
BERLIN since 1945
1-French Sector
2-British Sector
3-American Sector
Pankow
Weissensee
EAST-BERLIN
Lichtenberg
Treptow
Köpenick
Reinickendorf
Spandau
WEST-BERLIN
Charlottenburg
Schöneberg
Wilmersdorf
Zehlendorf
Steglitz
Neukölln
Tempelhof